JN069183

もし初めて演劇部の顧問になったら

田代 卓

晩成書房

はじめに

この「もしエン」は『演劇と教育』誌に二〇一三年の四月から二〇一五年の三月まで、二年間に渡って連載した「もしエン12か月」「続・もしエン」をまとめたものです。また、最初に収めた「初めての演劇部顧問のために」は、その前年の二〇一二年の五月号に載った文章です。いずれも、私が何も知らずに演劇部の顧問になり、多少の苦労はありましたが今までやってきた結果、今の若い方々にも「何も知らなくてもそのままで演劇部の顧問として十分にできるはずですよ」ということを伝えたくて書いた文章です。

文章は、連載後しばらくたっているので、出てくる日付がかなり前のものになっています。それを今刊行するに当たって「現在の文章」に直すと、逆に書いたときのナマっぽさが無くなって文章の感じが固くなってしまうので、日付もそのままで「現在形」のままの文章で載せることにしました。また、「もしエン12か月」は、当時日本演劇教育連盟委員長の正嘉昭さんとの共著として連載されました。実質的には私が書いたものを正さんが確認または部分的に手直しを加えて載せていたのですが、部分的に正さんが担当して書いた部分があったので、今回の出版に当たっては、その部分を明記して掲載してあります。

ところで、連載中にも感じていた演劇部の減少はその後加速度的に進んでいる気がします。少子化による学校の小規模化によって部活動の数自体が減る中、生き残る部活動はメジャーなサッカー部やバスケットボール部など、運動部が中心です。文化部を考えた場合、音楽や美術の先生がいるので吹奏楽部や美術部は生き残り易いのですが、演劇部は直接結びつく教科がないということもあって、顧問の先生がいなくなると部活動もすぐに無くなってしまいます。さらにその演劇部を持っていた先生は異動先で演劇部を自由に作らせてもらえず、他の部活動を持たされる状況になっています。その結果、演劇部は減っていくのです。

もう一つ、教師の多忙化によって、部活を実質的に指導する先生が減っているという問題があります。顧問は指導する時間が取れないので、部活動の指導は外部指導者に任される方向に変わってきています。そんな中、若い教師が後を継いで演劇部の指導者として育っていく機会が減っています。

学校演劇は、今まで学校の先生が生徒と一緒に学校の中での問題、生徒の生活の中での問題に取り組んでいく中で育ってきました。それは外部指導者が学校の外からやってきて技術的なことを教えるのと違った面を持っています。本当に生徒の生活に寄り添った劇を生み出すことができるのは生徒と一緒に学校で生活している顧問が一番良いはずです。

現在の閉塞的な学校社会の中で、心を開放し、仲間同士がつながりあう演劇活動、またクラスに居づらい子どもの居場所となる演劇部の存在はますます重要となってきています。もっと演劇部を支え、生徒と一緒に演劇に取り組む教師が育ってほしい。その必要性はこれからもますます高まっていくでしょう。

私は、演劇部が消滅していくことは中学校教育の危機だと思っています。この本がきっかけになって「演劇部を持ってみようかな」と考える方、演劇部を持っていて辞めようかと思っている人で「少しその気でやってみようかな」と思う方が少しでも現れてくれることを望んでいます。

もしエン―もし初めて演劇部の顧問になったら●目次

II 続もしエン 応用編 もし初めて演劇部の顧問になったら ……61

初めての演劇部顧問のために

演劇と教育
2012年5月号掲載

私が演劇部の顧問に初めてなってから二十六年ぐらいたちます。ですから、もう随分顧問としてベテランになりました。しかし、二十六年前に顧問になったときは特別演劇が好きというわけでもなく、経験があったわけでもありませんでした。そんな私が初めて顧問になって経験したことや、その中で学んだことを、今、顧問になった方のために書いてみたいと思います。

得意分野から入ろう

私が演劇部の顧問になってまず困ったこと、それは、顧問として指導できることがなかったことです。演劇に関することは子どもの方が知っていたりするので、本当に何も指導できることがないのです。いえ、子どもの方が知っているかはともかく、少なくとも演劇が好きで、演劇に関する活動を一年間以上経験してきた人間に対して、それがたとえ子どもであっても、演劇の経験ゼロの教師が何を言えるでしょう。

これはクラス劇を指導するのとは全く違う経験でした。クラス劇はお互い知らない者どうしで、別に演劇として良いものを求めるわけでもないし、単なる教師として指導すればよいのです。でも、部活動となると、演技に対する要求水準というか、質が違ってきます。そうなると何も確信を持って言えないのです。

「こうじゃないかなあ」などと言っても生徒は不安になる

だけだから納得しません。

そんな最初の演劇部指導で私が最初に役立った気がしたのは舞台装置を作ったときです。大した物を作った記憶はないのですが、子どもたちはともかく喜んでくれました。

「今まで演劇部の舞台装置はクラス劇に負けてたけど、今度は〝さすが演劇部〟と思われる」と言っていたのを覚えています。

演技では何も言えない私でしたが、舞台装置を作るとなると絶対的に私の方が力は上です。というか、演劇部の子たちは演技をするのは得意でも舞台装置となると、まったく手も足も出ない世界です。

私の場合は、物作りがもともと得意分野でした。だから、とりあえず舞台装置から入っていく演劇部の指導でした。そして、今でも私の作る劇は舞台装置にはかなり凝る方です。その得意分野はその人その人で違うでしょう。とにかく、自分の得意なところから入っていくべきです。

演技が好きな人なら演技の指導から入っていけばいいし(多少のはったりは必要かもしれませんが)、音楽が得意なら音楽から入っていくこともできるでしょう。何にもなくて、ただ生徒と一緒に劇をつくっていきたいということでも良いと思います。生徒に教えてもらったり、同じ視点で学んでいくのが得意な顧問だっていていいんです。それだって得意分野ということになるはずです。

まずは、何をとっかかりにしようと、子どもの世界に関わっていくことが第一なのです。逆に言えば、時間をかけて子どもの世界に関わることができない人は演劇部顧問には向かない人です。その意味で教員の多忙化はゆゆしき問題ですが、少なくとも心だけはいつも生徒に関わろうとしていたいものです。

演技指導で困ったときは

演劇部の顧問たる者、演技の指導に関わらずに生徒との関係を保つのは不可能というもの。でも、頼まれ顧問または管理顧問で関わり始めた者にとっては、この演技指導ってヤツは本当に面倒なものです。これを読むみなさんの中には、最初から自信たっぷりに指導できてしまう人もいるかもしれません。最初に生徒たちから「先生！　お願いだから、演劇部を作ってください」とか言われてつくった場合などは割合やりやすいかもしれません。

でも、私の場合は違いました。主の顧問がいて、しかも前の年に都の大会に選ばれていたりして、そこに副顧問として入ったのです。だから、演技について気づいたことを指摘しても「余計なことを言われた」としか思ってもらえませんでした。演技の指導で大切なのは、「その演技はなぜ良くないのか」と「どういう演技をすれば良いのか」を説明出来ること、そして、その際常に基本になるのが「自分がその人物だったらどう反応（行動）するか」ということです。でも、これは簡単なようでいて、実際に脚本があって劇をする中ではどうするのがよいのか、分からなくなってしまうものです。演劇は「なんでもあり」の世界ですから、ひとつの理屈だけで「こうでなければいけない」というわけにはいかないのです。

先日、地区の大会で、「新しい学校に転勤して三年生が全然自分の指導を聞き入れてくれなかった」という先生がいました。その先生はかなりベテランなのですが。こんなとき、無理な指導をして生徒と対立関係になるのは得策とは言えません。まずは誉めること。良いところを見つけて誉める心掛けが大切です。でもそう思ってみていても、どう見てもひとりよがりの劇にしか見えない演技をしていたりして、それをどう指摘してよいか分からないことがあるものです。つまり、「どうもよく分からないけど、この演技はおかしいんじゃないか?」と思うところです。そういうところを理屈無しに指摘しても、生徒は納得しないものです。生徒は自分なりに一生懸命やっているのですから、生徒のプライドを傷つけるだけに終わるのが落ちです。

私の経験では、そういうところはやはり演技として不自然なところなのです。それがわかるのは「大人の感覚」っていうやつだと思ってます。そういう場合、私は取りあえず子どもに「変だと思うよ」と言っておきます。そして、大会の時に合評会などで指摘されたら、それをメモしておいて生徒に伝えます。これが大事なのです。場合によっては自分から質問して、変だと思ったところがどうなのか、変だったらなぜ変なのか、聞いておくようにするのです。そうやって答えてもらったものには必ず生徒は納得します。そして、先生の方が正しかったとなれば、それで先生を信頼していくものです。合評会の時に何もメモせず、のんびりかまえている先生が多いのですが、もったいないとよく感じます。

演劇の大会がない地域の場合は苦しいですが、その場合、観客の大人でコメントしてくれる人に聞くしかないでしょう。とにかく、観客の目で見たときにそれがどう感じるのか聞いて、それを生徒にも伝えるべきです。

セリフに込められた気持ちが大事

もう少し、演技指導について続けます。

演技の基本として最も大切なことは何でしょうか。それは、コミュニケーションだと思います。つまり、相手と会話するときには相手に伝えたい内容と気持ちがあって、それを相手に伝えようと思うから会話をするのです。

演技でもそれは同じです。演技者がただセリフを言えばいいと思って言っているのと、相手役に伝えようとして言っているのと、観客にとっては一目瞭然です。ただセリフを言っているだけの劇は、見ていて何の感動も生まれない、無味乾燥なものとなってしまいます。

また、セリフを受ける方も同じです。よく、キャッチボールにたとえられますが、セリフを投げられた方は、それをしっかりと感情で受け止めなければいけません。しっかり受け止めれば、それが動きになって表れたり、表情に表れたり、セリフを返すときの言い方に表れたり、様々な反応になって表れるはずです。また、その場ではセリフがない役の人でも同じです。そこにいて、他の人のセリフが聞こえていれば、何らかの反応が生まれるはずです。全く反応をしないとすれば、それは、〝反応をしない〟という反応として意味を持っているはずです。

このように、舞台上の一人ひとりがそれぞれ一つひとつの動きやセリフに、それぞれの役の人物として反応していくと、舞台が生き生きとして、観客は自然にその舞台の世界に引き込まれていくのです。逆にそのような反応の全くない劇だと、「セリフをただ言っているのを聴くくらいなら、むしろ文字で読んだ方が、自分でイメージを想像できるから良い」と言いたくなってしまいます。そういう劇が中学校の演劇発表会で見る限り、決して珍しくないくらいたくさんあります。だから指導者としては、何とかして、役者が舞台上でその役の生きた人物として観客に見えるようにしていくべきなのです。

でも、これを言葉で生徒に言ったとき、すぐに出来るかというと、そうはいきません。例えば、あるセリフを言いながら椅子から立ち上がって移動するとすると、「セリフのどの部分で立ち上がったらいいですか?」「何歩歩いたらいいですか?」と、生徒は当たり前のように質問してきます。「自分がその役の人物だったらどうする?」と言ってもやっぱり出来ないのです。その子に、できないからと叱ってみたところでやっぱり出来るようにはなりません。何故できないのでしょうか。それは、心が解きほぐされていないからです。叱られても心は閉じてゆくばかりです。形を作っても、心がともなっていなければ、心で動いているのとは絶対に違うものになっているはずです。観客にはそれが伝わります。
だから、練習には逆に心を楽で自由にしてゆく方法をとるべきだと思っています。また、日常活動として心を解放するための練習を普段から取り入れることも心がけるべきです。

演劇の決まり事

よく、劇は「なんでもあり」の世界だと言います。つまり、劇について守らなければいけないルールというものはほとんど何もないということです。何をやっても良いのです。一般的に「こうしなければいけない」、または「こうするべきだ」と思われるようなことは結構あります。「観客にお尻を向けてはいけない」とか、「〝私〟を表すときには自分の胸に手を当てる」とか、「場面を変えるときには暗転をする」とか。でも、これらの中にはそうしなければならないというルールなんてないんです。それが、劇のわかりにくさでもあるし、面白さでもあります。

たとえば、「観客にお尻を向けてはいけない」と考えられるのは、観客にとって顔が見えないと「顔を見せて欲しいな」と思って欲求不満が生まれるし、後ろ向きでは声も通りにくいし、何か表現をするときも顔による表現ができない、など、様々なマイナス面があるからです。

でも、逆に後ろを向いていること自体が効果的な表現になったり、自然だったりすれば、なにも無理して前を向く必要はありません。

「それは実は〝私〟です」

と私を表すときにだって、自然な会話の中で自分の胸に手を当てる人はほとんどいないでしょう。だから、セリフの内容を説明するような仕草（他にも、「一個」と言うとき指を一本出すとか）は舞台の動きとしては不自然な場合が多いのです。

場面を変えるときに暗転するのも、暗転せずに明かりを変えるとか、物を置き換えるとか、別の形で観客に、場面が変わったことや時間がたったことを伝える方法も考えられます。基本的にできるだけ暗転はしない方が良いのです。見ている人にとって暗転は、劇に入り込んだ気持ちを途切れさせてしまう、基本的にマイナスの行為なのですから。

つまり、劇を固定観念で「こうするものだ」と思いこんでなんでもやってしまうと、演出としてはつまらないものになってしまいます。むしろそういう固定観念を打ち破ろうとして作られた劇を観ると、実に「目からウロコ」のような新鮮な驚きと、面白さを感じるものです。

だからといって逆に役者がお尻を向けて、前を向いてくれないのでは観客は欲求不満になってしまうので常識を無視するわけにもいきません。常識を破るにはそれなりの意味と効果がなければいけないのです。

ちょっと難しい話になったかもしれません。でも、演劇指導者としては、観客から見たときにどう感じるかを考えて、その上でできるだけ自由な発想でトライしていくべきです。それが指導者としての腕の見せ所だし、面白いところなのです。せっかく「なんでもあり」の世界なのですから。

では、劇に「これはやってはいけない」というハッキリした決まり事があるかというと、ないわけではありません。でもそれは、演劇発表会などで決められたルールを除けば、表現のやり方とかではなくて、劇場の安全面とか設備の使用などに関することになってしまいます。細かい機材の扱い方とかはその劇場やそのスタッフの方針によって様々ですが、基本的に知っておくべきことにどんなものがあるかという例として、ほんの少しだけあげておきます。

たとえば、これはかなり極端な話ですが、ホリゾント幕（舞台の正面の、ライトを当てるための幕）に舞台装置として作ってきたものを貼り付けてしまった学校がありました。その接着テープの跡がホールのホリゾント幕に残って、そこが使えなくなってしまったのです。これを弁償するとなるととんでもない金額になるので、大変な問題です。幸い、ホールのスタッフが優しくて弁償を要求されず、事なき?を得たのですが、全く冷や汗ものです。

ホリゾント幕と言えば、その前にホリゾントライト（その幕を照らすためのライト）が置いてありますが、そことホリゾント幕の間を歩くのは駄目です。アクティング・エリアはホリゾント幕の前までであり、リハーサルといえどもライトの後ろを歩くのは禁止です。

同じように、舞台の袖幕や中割幕（舞台の横にあるカーテン）を装置として使うのもなしです。劇の中で登場人物が隠れるのに袖幕を持って、そこから頭だけ出したことがあり、見ていて「あれ？？」と思いました。つまり、袖幕は舞台の世界を狭めたり、舞台袖を見えなくするためにあるものなので、世界を狭めている枠を装置にしてしまうと、劇の世界全体が崩れてしまうのです。もっとも、この場合触りさえしなければ、「禁止」とは言えません。演出として劇場の装置を舞台装置として客に見せるということであれば「あり」です。それが良い演出になるかといえばはなはだ疑問ですが。

以上、演劇部の顧問として何も知らない人を対象と考えて、自分の経験を元に書いてみましたが、演劇部は顧問にとって手間のかかる部活です。でも、場合によって部員の生徒の人生を変えるほどの大きな影響力を持つ、顧問にとってやりがいのある部活でもあります。ぜひ、この世界に飛びこんで生徒と共に学んでいって欲しいと思っています。

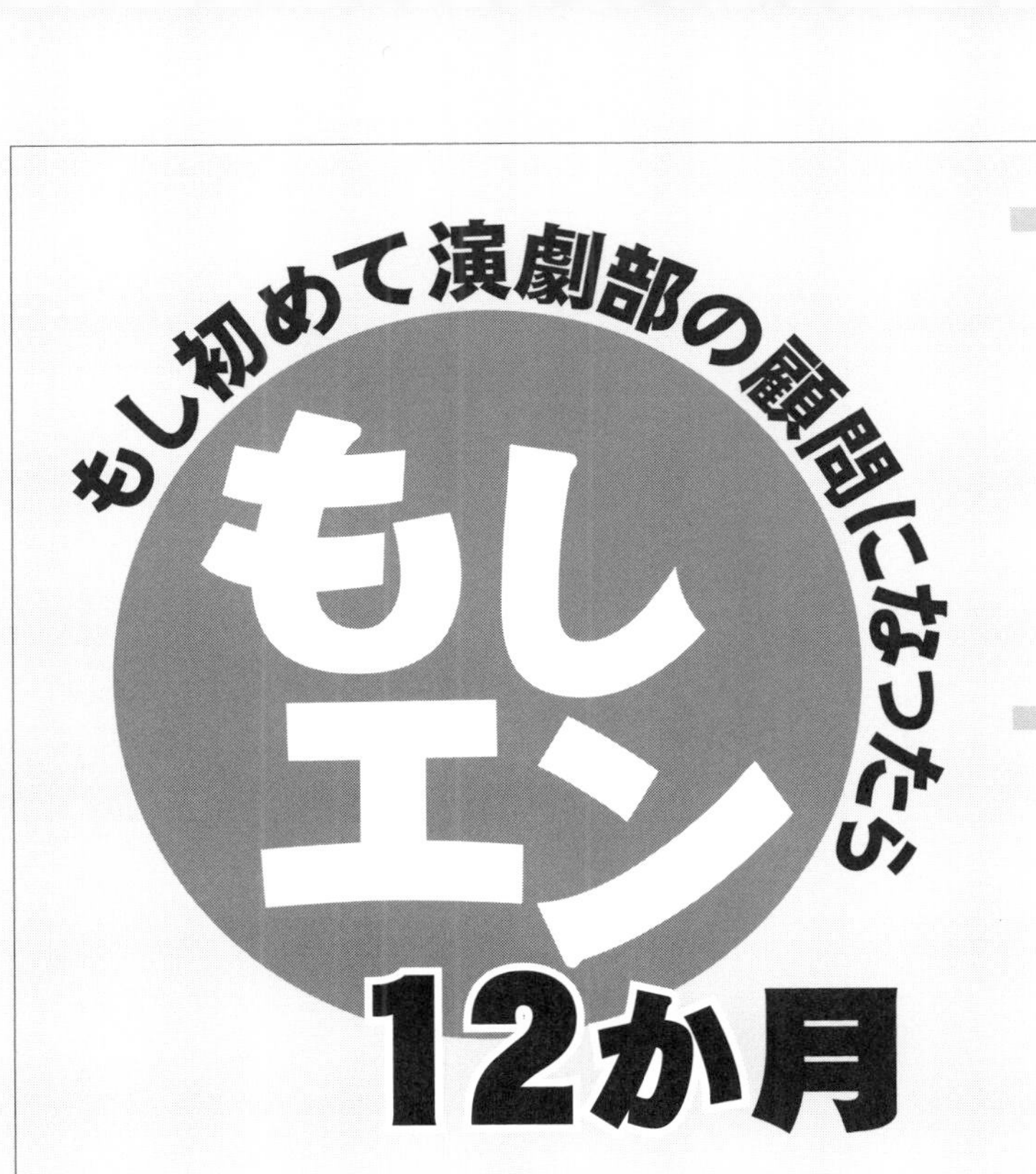

I

4月

新入生勧誘
―楽しい部活紹介

●はじめに

さあ、「もしエン12か月」の始まりです。「もしエン」は『もしドラ』すなわち、『もし高校野球の女子マネージャーがドラッカーの『マネジメント』を読んだら』をもじった物ですが、『もしドラ』を読んだり、アニメや映画でご覧になったことはありますか？　この原作『もしドラ』は、どうしようもなくやる気のない野球部を一人の女子マネージャーが生まれ変わらせて、甲子園に導いていってしまうお話です。そしてその秘訣となるのが『マネジメント』という、一九七四年に出された、会社経営のバイブルとも言えるドラッカーの著書だったのです。ここでは『もし初めて演劇部の顧問になったら』ということで、今回女子マネージャー役となるのは、初めて演劇部の顧問になったあなたです。甲子園にあたるのは何でしょうか。中学校の演劇で言うならば、さしずめ二〇〇一年から行われている全中文祭（全国中学校総合文化祭）への出場ということになるでしょう。

この「もしエン12か月」は、前掲の「初めての演劇部顧問のために」の延長線上に位置するものです。初めて演劇部を持って、または持たされて、何が何だか分からない顧問の方々が「これなら自分にもできる」とか、「演劇部ってこういうことをやる部活なのか」と思っていただければありがたいです。でも、いつかは全国大会を目指してみるのもいいでしょう。そのための第一歩と思っていただけたら幸せです。

さて、現在、演劇部は全国的に見た場合、減少傾向にあります。なぜか？　それは、小学校の学芸会での劇活動が減っている等々、さまざまな理由があるでしょうが、その一つに、演劇部の顧問が異動するとその演劇部がつぶれてしまうことがあります。運動部ではそういうことは少ないでしょうが、演劇部にはそれがあります。あとを継ぐ人がなかなかいないのです。そこには、演劇部の顧問は特別な能力や知識がないとできない、という先入観があるように感じます。でも、そんなことはありません。演劇部の顧問として知っておくと良いことはいくらでもありますが、何も知らなくても顧問はできます。だから、この連載で一人でも「そうか、これなら自分にもできそうだ」と思ってくださったり、現にやっていて苦労している人の参考になれば幸いです。

●新入生勧誘

部活動で、一年間の最初に行うのは新入生のための部活紹介です。

やり方は学校によって様々ですが、代表者が言葉で紹介するだけの場合もあれば、それぞれが部活動のホンの一部を見せる実演という形で行う場合もあります。私の中学校では、各部に五分間与えられて、体育館のフロアを使って自由に部活の宣伝を行います。できれば、演劇に興味のなかった子にも「演劇部って面白そうだな」と感じさせたいものですね。

そこで、皆さんにぜひともお勧めなのが『芋ようかん』という劇仕立てのコントです。演劇部が毎年これをやっているので、他の先生方もどの役を誰がやったというのを聞いて、「え～、○○君がアレやるの見たかったぁ～」とか言ってくれる年もあります。また、ただただこのショートコントに魅せられて、一気に一年生が十七名入って部員が倍増したこともありました。一般的には部員が少なくて苦労することの多いのが演劇部ですから、この四月号ではぜひこれを紹介したいと思います。

『芋ようかん』は、群馬県の新島学園（顧問は大嶋昭彦さん）が、関東中学校演劇コンクールの交流会の場で紹介してくれたものです。これには、原作があって、それは『ブルーベリーパイ』といいますが、『芋ようかん』の方が、日本らしくて素敵です。

外から帰ってきた娘がお母さんに「何作ってるの？」と聞くと「芋ようかんよ」とお母さんが答えます。早速食べて「おいしいわ」と言っていた娘が次の瞬間「うっ」と、うなったかと思うと倒れてしまいます。あわてたお母さんが病院に電話をかけると「すぐ行きます」と言ったお医者さん、救急車をとばしてやって来るのですが、娘を診て、「死んでます」と言います。泣き伏すお母さん。と、そこに監督の「カット！」の声。ここで監督は「もっと悲しそうに」とか、「もっと可笑しそうに」とか、いろんなことを言うのです。そのたびに「悲しそうに」だったら娘もお母さんも、お医者さんまで最初からわんわん泣きながら、「可笑しそうに」だったら、「死んでる」の部分まで含めて、大笑いしながら、同じセリフで演じていくのです。最後に、演技者たちは無理難題を押しつける監督に対して頭に来て、みんな去っていってしまいます。今まで威張っていた監督が、あわてふためいて追いかけていくところで終了します。

これは基礎練習として用いてもなかなか面白い台本ですが、工夫するといろいろなパターンが作れますし、部活の紹介には大受けすること請け合いです。まずは部内でやってみてください。

●仮入部

仮入部の期間は、基本的には入部希望者に演劇部の練習を紹介する期間ですが、ここでも演劇部の楽しさをアピールしておくのが賢明ですから、毎日のメニューの中にコミュニケーションゲームや表現遊びを入れておくと良いでしょう。それは「だるまさんがころんだ」でも「何でもバスケット」でもけっこうです。みんながうち解けて、お互いの関係を築くことは、演劇部の活動を進めるうえで大切なことですから。

毎日の活動メニューを事前に生徒と話し合い、同じ入部希望の生徒が毎日演劇部に来たとしても飽きさせない工夫が仮入部期間にあると良いでしょう。

●仮入部で行うコミュニケーションゲーム例

ここで、仮入部にもってこいのコミュニケーションゲームを一つ紹介しましょう。クラス替えをしたばかりの新学期などでまわりを見渡すと知っている人があまりいなくて心細い、そんなときによく使うアクティビティ「仲間集め」です。

ルールは簡単です。まず、同じ生まれ月で集まってみましょう。集まったら小さく固まって、島を作ります。どうしたら同じ月の仲間が集まることができるでしょう？　じっとしていてもダメです。「○月生まれの人！」と、ちょっとした勇気を持って声を発するところから、「仲間集め」が始まります。一月、二月……といくつかの島ができあがりました。知らない生徒同士が同じ生まれ月というだけで親近感が生まれ、緊張していた顔が少し緩みます。

機械的に集まる仲間よりも好きなもので集まる方が、行動がもっと積極的になり、親近感も増します。参加者から集まるためのテーマ（お題）をもらいましょう。「好きな寿司のネタ」「好きな色」「好きなアニメ作品」で集まってみるのも面白いですね。

この「仲間集め」は、自分はひとりではないという気持ちを短時間で作ることができます。一度取り組んでみてください。

もっとコミュニケーションゲームや表現遊びについて知りたい方は、ぜひ日本演劇教育連盟発行『身体表現のウォーミングアップ』（正　嘉昭著）をご参照ください。


（正　嘉昭）

【参考台本】

ショートコメディー

『芋ようかん』

原題『ブルーベリーパイ』作者未詳。
ご存じの方はお知らせください。

［登場人物］　演出家、子ども、母、医者、救急隊員1、救急隊員2

演出家　（メガホンを持って）オーケー、みんな位置について。芋ようかん、テイク1。ぁぁぁあああ、アクション！

子どもが、スキップしながら登場する。

子ども　お母さん！　今日のおやつ何？

母　芋ようかんよ！

子ども　へえ……。食べてもいい？

母　ええ、いいわよ。

子どもは、夢中で芋ようかんを頬張る（マイムで）。
すると、子どもはむせかえりながら、床に倒れ込む。

母はショック状態で、医者に連絡しようと急いで電話に駆け寄る。

医者　（プルルル、プルルル、ガチャ）もしもし。

母　ああ、お医者さん！

医者　どうしました？

母　子どもが、倒れたんです！　のどに、のどに食べ物、詰まらせて！

医者　何を食べたんですか？

母　芋ようかんです！

医者　わかりました。すぐに伺います！

医者と救急隊員は、片手を頭上で回しながら駆けつける。
彼らは母と一緒に子どもを囲む。
医者が子どもの手首をつかみ上げ、脈をとってひと言。

医者　死んでる！

全員、泣く。
演出家が激しく叫ぶ。

演出家　カット、カット、カット！　ダメダメ、悲しさが全然出てないじゃない。悲しくやって！　悲しく！

全員　悲しく……。

初めから全く同じセリフと動きを繰り返す。
演出家の指示を全員が忠実に表現する。

演出家　やめやめ、悲しすぎる！　もっと明るく、もっと楽しく！

全員　楽しく……。

初めから全く同じセリフと動きを繰り返す。
演出家の指示を全員が忠実に表現する。

演出家　カット、カット、カット！　やりすぎ！　もっと気持ちを入れて！　情熱的に！

全員　情熱的に……。

※その他、もっと早く、もっとゆっくり、英語で、などのパターンがあります。最後は、役者たちがうんざりして立ち去り、それまでいばっていた演出家があわてふためいて役者たちを追いかけていって終了します。（そこのセリフは適当に）

5月

まずは基礎練習のパターンづくり

もし初めて演劇部の顧問になったら
もしエン12か月
演劇と教育 2013年5月号掲載

●日常活動の大切さ

新しい演劇部員は集まりましたか？　新入部員も迎えて、今回五月は、日常の練習のやり方です。みなさんの中に、演劇部の活動すなわち劇づくりと思っている人はいませんか？

劇づくりは活動の目的がわかりやすいので、演劇部の活動としてはやりやすいところはあります。しかし、その前の日常活動で劇をつくるための体や心を作っておかなければいけないことはたくさんあります。心がかちんかちんのままで劇づくりをしようと思ったときには、体が動かず、手も自由でないために、とても不自由な状態で演じてしまうということになります。声も自由に出ません。そんなところを劇をつくりながら同時に訓練していくことはとても難しいことです。だから、まずは心から自由にしていくこと。そのためにまずはうち解けた集団を作ることが必要だし、その中で一人ひとりの心を開いて、自由になっていくということが必要なのです。だから、今回は毎日行う基礎練習と、劇づくりに入る前の日常活動としての練習について触れていきたいと思います。

●基礎練習のパターンを作ろう

体育系の部活には必ず基礎練習がありますよね。演劇部は文化系の部活ですが、基礎練習は体を使ってしっかりやることが大切です。体を使うというと、柔軟体操とかダンスの基礎練習とかランニングとかいろいろありますが、発声練習も姿勢をしっかりさせて体全体を使ってやらなければあまり意味のないものになってしまいます。「演劇部は運動部だ」と言う顧問もいるくらいです。

何をどうやるかは指導者によっても、部活の実態によっても異なりますが、①パターンをきっちり作って毎回欠かさずやること、②一人ひとりがその意味を分かって、基礎訓練として目的にあったやり方をすること、この二つが重要です。

基礎練習として必要なのは、大きく分けて柔軟体操や筋力トレーニングのような体を使った運動と、発声練習がありま す。その両方をバランス良く行うことが必要です。

●最初は体操から

基礎練習の最初にやるのは柔軟体操が良いと思います。それは、早く集まった人が一人でも始められるからです。放課後、部員が集まれるのは学活の時間が違ったり、掃除があったり、委員会の仕事があったり、残り勉強があったり、なかなか一斉にとはいかないものです。揃った段階でみんなでやるにせよ、集まった人から始められるようにしましょう。ダンスとかを取り入れた劇をやる以外、柔軟の効果を実感できることは少ないかもしれません。でも、幅広い演技をこなすため、また舞台上で姿勢の良い美しいシルエットを作るため、柔軟体操やストレッチは必要です。

運動の方法は、目的がはっきりしていれば何でも良いと思いますが、開脚、前屈、反らし、体のねじりなどをやって体を柔らかくします。柔軟体操以外では腹筋と背筋の運動も必要でしょう。かけ声をかけてのランニングも良いと思います。演劇部の頑張りをアピールする機会にもなるし、何よりしっかりした体幹を作る必要があるからです。

●発声練習のいろいろ

発声練習はたいへん大事です。でも、せっかく発声練習をしていても劇に活かせなければ何にもなりません。そこで、それぞれの発声発音練習で何を身につけるのか、指導者は心得ていなければなりません。

まず必要なのが、口の形を覚えることです。「アエイウエオアオ」は口の形を覚えるためにやります。

口の形とはどういうものかというと、基本的に「ア・エ・イ」は同じ口の幅で縦に順に狭く（平たく）なります。そして「ア・オ・ウ」の口は同じ丸い形で、順に小さくなっていきます。そして「エ」と「オ」、「イ」と「ウ」はそれぞれ縦の幅が同じくらいになります。それを図にすると、図1のようになります。日本人は口を動かすことや大きく開くことに慣れてないので、「ア」で顎を下げて大きく開くことが大切です。

発声の言い方は、普通の長さで「アーエーイーウーエーオーアーオー」とやるのでなく、短音でしかも腹筋を使って、「ハッ！」と息を出すのと同じような感じで「アッ！エッ！イッ！ウッ！エッ！オッ！アッ！オッ！」とやると、腹筋を使う練習にも、瞬間的に大きな声を出す練習にもなるので一石二鳥です。これをやるときには肩が動いてはだめです。意識的に腹筋を使えば、肩は楽にしたまま声が出せるはずです。

舞台で緊張したとき、肩を使って発声をしている（胸式呼吸をしている）と大きな声を出せなくなってしまいますが、腹式呼吸だとそうはなりません。緊張していなくても、おなかから声を出す練習をしていないと、頭から声を出すような聞きづらい発声をする癖がついたりします。普段からできるだけ横隔膜を使って声を出す習慣をつける必要があります。

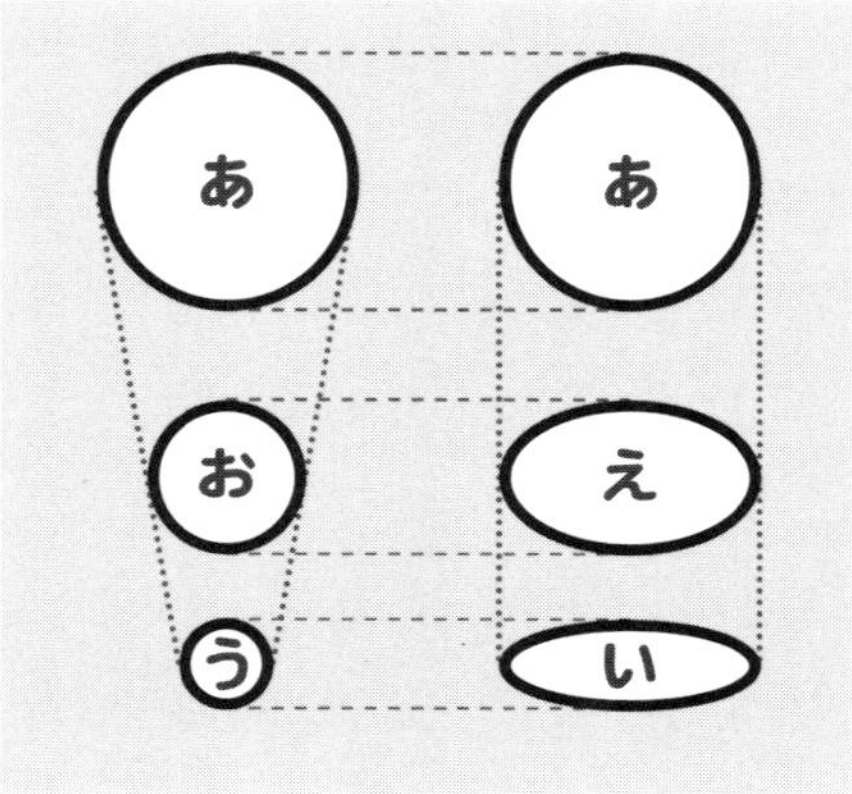

あ あ
お え
う い

図1●発音と口の形

●外郎売りの台詞

次は口をしっかり動かして言葉を言う練習ですが、一番練習として良いのは「外郎（ういろう）売り」の台詞だと思います。

長いものですが、長いからこそ若い生徒たちに覚えさせて、いつでも言えるようにしてあげると、一つの財産になります。サッカーはリフティングを、体操部はバク転を特技にできるように、演劇部の生徒が「外郎売り」の長い台詞をぺらぺらと言ってみせると、たいがいの人は感心するものです。以前、面接でこの「外郎売り」を言って見せて、効果があったのか、オーストラリアへの海外派遣に選ばれたという生徒もいました。「外郎売り」の台詞は、演劇の入門書や発声に関する本を見れば随分載っているので、探してみてください。インターネットで調べることもできます。

さて、「外郎売り」を言うときはやはり口の運動としてやるのですから、運動らしくくっきりと口を動かして言うようにさせましょう。黙ってやらせていると、ただ早口言葉を言っているだけで口はいくらも動かないことになってしまいます。

「口を動かせ」と指示を出すのもいいのですが、顧問も生徒と一緒に覚えて、率先して口を動かすようにしていったらどうでしょうか。若い生徒が覚えるのは早いです。それに負けずに早く覚えようとするのは大変ですが、その努力は必ずや生徒と顧問の間を近くするはずです。顧問が台詞を覚えてしまえば、生徒一人ひとりの前に立って口を大きく動かして言ってみせることで「このくらい口を動かして言うようにしてごらん」と範を示すような指導もできます。口が開かない生徒は、口の前に心が開かれていない場合がほとんどです。叱ったりするのではなく、全員の心を開かせていくことによって、自分から大きく開くようにし向けたいものです。

語尾のところで、意識的に口をその形にさせるというやり方もあります。たとえば、「拙者、親方と申すは」の「は」を特別はっきりした「あ」の形で言うようにさせます。それによって、顎を動かしてしゃべることを覚えさせることができます。「外郎売り」を顧問が言えない場合は、くっきり口を動かしている子をほめて、みんなに見本として真似させる方法も効果的です。

からだほぐし①——背合わせ

劇づくりに入る前の日常活動で行っておきたい練習はたくさんあります。今回は、自分のからだと相手のからだに対する信頼感を生む練習方法(からだほぐし)を説明します。

「からだほぐし」は自分一人でできる柔軟体操やストレッチ運動とは違います。必ず相手をともない、その相手に安心して身体をまかせることをねらいとしています。

まずは背中をテーマにした「背合わせ」です。《図2》

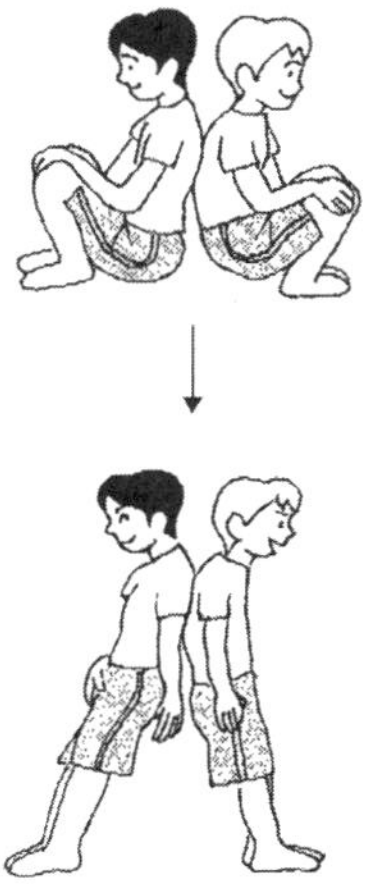

図2

二人一組になります。互いに背を合わせ腰をおろし、両足を尻に引きつけます。

第一ラウンドは背中でおしゃべりをします。Aが背中を動かして、たとえば「こんにちは」とBの背中に伝えます(もちろん無言)。Bは背中で聞き、これを交互に繰り返すと会話になります。言葉の中身が分からなくても、気持ちが伝わればOKです。

第二ラウンドは、もっと仲良くなるために背中と背中でケンカをします。ケンカし終わったら、あらためて背を合わせます。腰と腰、肩と肩をくっつけると、最初よりもくっつく面積が広がったのを実感できます。

第三ラウンドは、足を尻に引きつけたまま、背を合わせたままひざを伸ばし、スッと立ち上がります。腕も組まず、掛け声もかけずにやります。二人の息が合えばスッと立てます。さらに座る、立つを足の位置を動かさず、リズミカルに繰り返せるようになります。

　一人だけで立とうとしたり、相手の息を感じ取れないと立てません。ポイントは相手に遠慮しないでしっかりと背中を押しつけ、その二人の合力を立つ方向にもっていくことです。

●からだほぐし②―ふりこ

「ふりこ」では、「背合わせ」のほぐしで獲得したリラックス・脱力・信頼をさらに深めることができます。

　背格好が同じくらいの三人組を作ります。一人がふりこ、二人が受け手となります。ふりこになる人は両足をつけ、体の力を抜いて、二人の間にまっすぐに立ちます。左右どちらでもかまいませんので、足を動かさずに横へ倒れます。両側で支える二人は倒れてくるふりこを両手で受けとめて返します。これをリズミカルに繰り返すと、メトロノームのような動きになります。《図3》

　ふりこは自分では揺れないで受け手に身をまかせます。受け手を信頼すれば、一つの支点できれいに揺れることができます。

　受け手は、片方の足を後ろに大きく引き、もう片方の足を前に踏み出し、膝を曲げます。重心は前の足に置きます。両手をしっかり開き、倒れてくるふりこの肩を柔らかく受けとめ、十分にひきつけたあと、反動で押し返します。ふりこを丁寧に扱うよう注意します。

　交代して三人とも横へのふりこを体験したら、こんどは、前後へのふりこに挑みます。方法は同じですが、横へのふりことは少し違った浮遊感覚を味わえます。


（正 嘉昭）

図3

＊図1～3　正 嘉昭『身体表現のウォーミングアップ』（日本演劇教育連盟発行）より

6月
室内公演をやってみよう

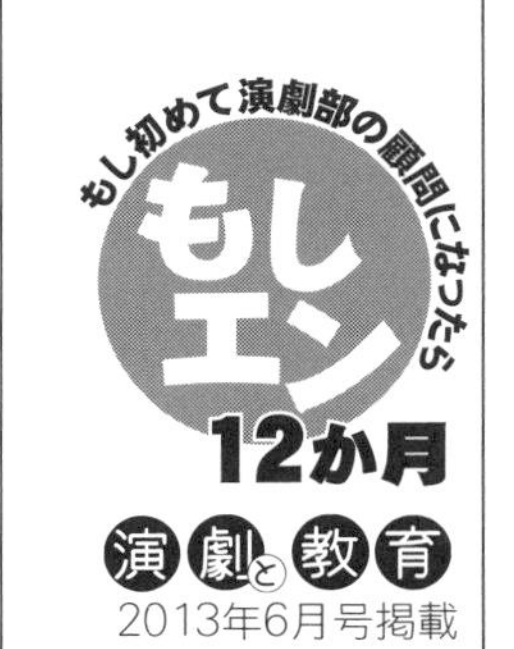

●最初の劇上演

四月に発足した演劇部にとっての最初の劇上演はいつ行っていますか？　東京の場合は地区大会が秋に行われますが、大会が夏に行われる所では、地区大会が最初の劇づくり・劇上演になるのが普通でしょうね。でも、できればその前に一回、室内（教室）公演をやっておきたいものです。普段練習している教室で、少人数でもお客を入れて上演するのです。室内公演は人前で演じる経験をさせる良い機会になると思います。演劇部の年間活動の例〈囲み〉を見てください。七月初め練習劇は室内公演の最も良い機会ですが、その他にも年間の活動で余裕のある時期に劇を作って公演したり、大会用の劇を室内公演で学校の生徒に見せたりすると良いでしょう。

演劇部年間活動の例

4月	新入生の勧誘、基礎練習
5月	日常活動による練習・練習劇の演目決め
6月	練習劇づくり
7月	練習劇の公演・反省、夏休みの活動
8月	夏休みの活動※
9月	大会の劇決定・劇づくり
10月	大会の劇づくり、校内公演
11月	地区大会
12月	送る会の劇決め
1月	送る会の劇づくり（都大会見学）
2月	送る会の劇づくり
3月	3年生を送る会

※夏休みの活動は大会の見学や講習会参加。

●室内公演の良さ

室内公演の良いところはたくさんあります。

その一。舞台（演じている場所）と客席が近いので、役者と観客との交流が生まれます。観客は役者の息づかいを感じ、劇の中身に加えて、それも味わい楽しむことができます。最初の劇上演は、基本的に新入部員の初舞台のための練習劇でもありますから、あまり劇の仕上げに力を入れなくても、自然に役者や観客が楽しめるものになります。

その二。上演のために体育館を借りなくても良いことです。体育館は、基本的に放課後は運動部の領域で、運動部が時間を取り合っていますから、そこにイレギュラーに演劇部が入り込むことは決してやさしいことではありません。室内公演ならいつでもやりたいときに教室などを借りれば実現します。

その三。劇の台詞はただ大声を出して言うことだと勘違いするのを防ぐことができます。演劇でまず必要なのは言葉のキャッチボールができるようになることで、決して体育館の一番奥まで届く大声を出せるようになることではありません。

さらにもう一つ挙げると、観客が少なくても比較的寂しくないことです。演劇の場合、観客の存在は上演には不可欠です。大きな会場で観客が少ない場合、演技にも影響してきますが、室内公演だとそれがほとんどありません。

●室内公演、お勧めのもう一つのわけ

東京の場合、十一月の地区大会に向けての練習は、夏休みが終わってから取り組む学校が多いようです。配役が決まってから上演までの、演技の練習期間は一か月程度がよいでしょう。そのくらいだと、台詞がこなれてきて良い感じになる一方、まだそれほど言い慣れすぎない状態で本番を迎えられます。

都大会出場校に選ばれたりすると、そこまでまた練習期間が生まれるのですが、その間にさらに劇を良くする練習というのは非常に難しいものがあります。下手をすると、台詞に感情を込めようとして大げさな表現になったり、反応（リアクション）が相手の台詞を聞いてではなく、その前から反応したりするようになってしまうことが往々にしてあります。そこで、そのようなメジャー公演の隙間にお勧めなのが、教室を使った室内公演なのです。

●会場の工夫

舞台の公演と違ったおもしろさや工夫のあるのが室内公演です。〈会場図〉

①舞台（演技スペース）　特別教室を使う場合、部屋の後方が

便利だと思います。黒板その他の余計な物が比較的少ないからです。

②照明　体育館でよく使うスポットライトを二台持ってきて、教室の両側にセットすればOKです。椅子をセットして観客席を作ると、どうしても観客の頭にもライトが当たってしまうので、できるだけスポットライトは高くセットしておいた方がよいでしょう。スタンドを伸ばすだけで足りなければ、机八脚程度をテープを使ってしっかり組んでその上に置くのも一つの方法です。

③音響　音響は劇づくりの大切な要素です。音響設備のある場所を確保したいものです。音響装置のない特別教室で毎回公演に使える教室であれば、ステレオ・セットを手に入れて、二つのスピーカーを教室の両端の角（天井の下）に取り付けておきたいところです。どうしてもない場合はCDラジカセでもやむを得ません。オープニングやエンディングをはじめ、必要なところでは手を抜かずに効果音を入れましょう。マイナー公演はスタッフの仕事を覚える機会でもあります。

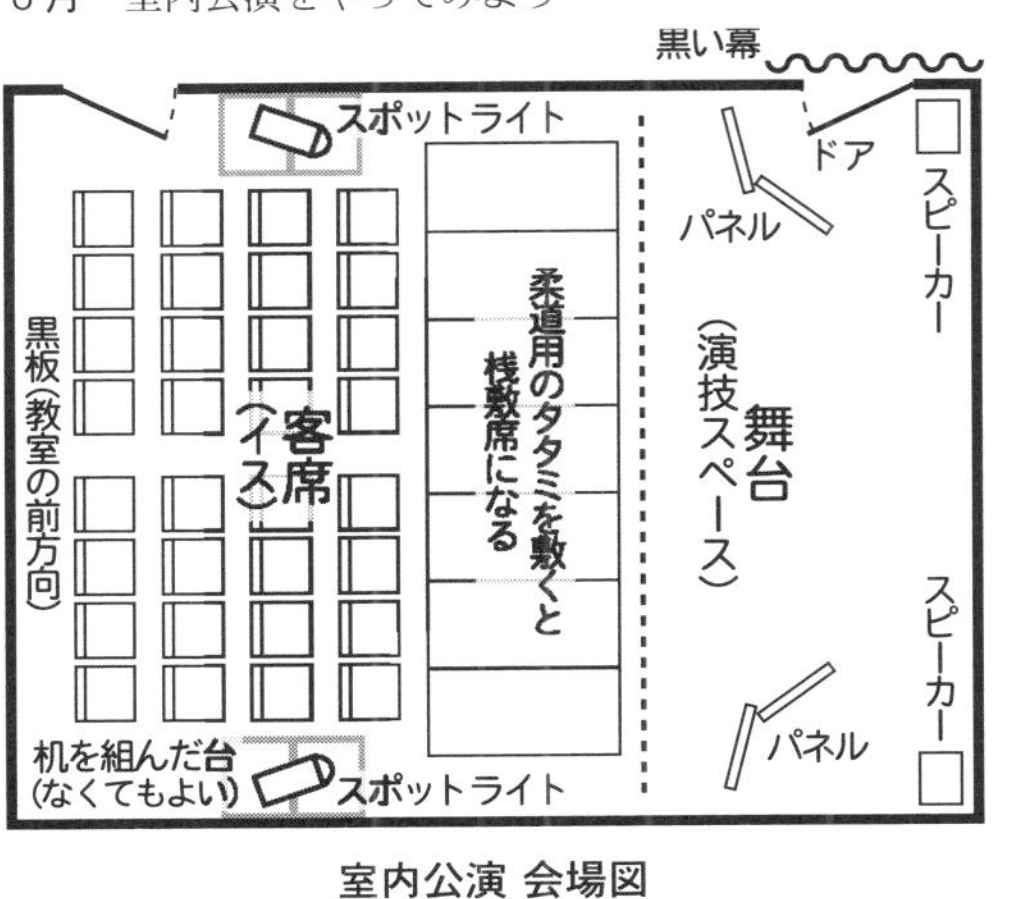

室内公演 会場図

④暗幕　窓からの光を遮断する暗幕が必要かどうかは、劇の内容や見せ方にもよります。暗くして照明が当たった中で演技をしたいというだけの理由だったら、なくてもいいでしょう。また、場面転換の時の暗転が欲しいというだけの理由だったら、これまたなくてもいいでしょう。なぜなら、学校にあるような暗幕では不完全な暗さゆえ、暗転でも何をしているかは見えてしまうからです。中学校演劇の場合は、ホールでも完全に暗転してしまうと舞台上で何も見えなくなってしまうため、普通はブルー暗転と言って薄暗い明かりをつけます。暗転中の動きは見えるものなのです。そうであれば、いっそ最初から舞台転換は見せてしまう方が見ている観客にとっても劇への集中がとぎれずに見ていられるものです。ではどうしたら明転（明るいままの舞台転換）がスマートにできるかというと、たとえば、演技している中で何か（音でもセリフでも良い）をきっかけに、演じている役者が演技をやめて表情も消して、何事もなかったか

のように袖にハケて行けばよいのです。演技をやめる時に一瞬ストップモーションにすると、もっとわかりやすくなります。ただし、それをきれいに決められるようにするのは演技としては高度なことになってくるので、多くは望まずに、「転換の時が来たら何かの動きか台詞などをきっかけに転換の動きをする」と決めればよいでしょう。それがきれいに行かなくても、暗転した中でばたばた走り回るより見苦しくなくできると思います。このような工夫を行っていけば、暗幕はなくても（あった方が良いのは確かですが）劇はできるのです。

⑤袖　舞台にはふつう袖があって、袖幕の中に隠れることができるようになっています。これがないと、出番でない役者は横で小さくなっているか、ドアから出入りするようになり、衣装替えもままならないことになります。布幕の代わりに展示パネル（黒紙を貼ると良い）などを舞台（演技スペース）の両端において、袖とするとよいでしょう。舞台は少し狭くなりますが、パネルの裏に隠れられるだけでなく、ドアを使っての出入りも隠すことができるようになります。なお、全体を暗幕で暗くできる場合、扉の出入りの時には、外の光が入ってこないよう黒い布を一枚広めに扉の枠の部分に貼り付けておくとよいでしょう。随分光が入るのを防ぐことができます。

●お客さんを集める工夫

いくらミニ公演でも、お客さんを集めることは大切です。部員の多い演劇部であれば、部員が友だちを呼ぶのでそれなりに集まりますが、少ない演劇部だと集客は大変です。いろんな手段でお客さんを集めましょう。

①チラシ　演劇の公演ですからチラシを配布しましょう。絵の得意な生徒に描いてもらった絵入りのチラシは魅力的です。表の面には絵の他に公演名、題名、日時、場所などを入れます。裏面にはキャスト・スタッフの名や、宣伝用のあらすじなどを書きます。ぜひ全校生徒に配布しましょう。配布については、打ち合わせ等で職員全体に話しておくと職員への宣伝にもなります。配布は上演日の一、二週間ぐらい前が良いでしょう。

②ポスター　チラシの絵をそのまま拡大して色画用紙に印刷するとポスターになります。各学年の廊下に二～三枚ずつ張り出しましょう。

③入場整理券　とっておきの方法としてお勧めしたいのが、入場整理券を作って配布することです。劇場のチケットのような入場整理券を画用紙で作って、演劇部員から、来てくれる約束をした人に配るのです。枚数は会場の座席数だけ作って、ナンバリングで番号を打っておきます。これは入場整理券を限定枚数で配っているという意味です。開場の時にこの券を持っている人を先に入場させ、開場の時刻に間に合って

いれば必ず座席に座れるようにするのです。

この入場整理券はできるだけ凝って、きちんとした劇場公演のチケットのように作ることも重要なポイントです。チケットが凝っているほど正式な演劇公演のように感じるからです。入場時に部員たちは喜んで「もぎり」をやります。「もぎり」は、照明や音響担当など、衣装を替えない生徒が当たります。

入場整理券の例

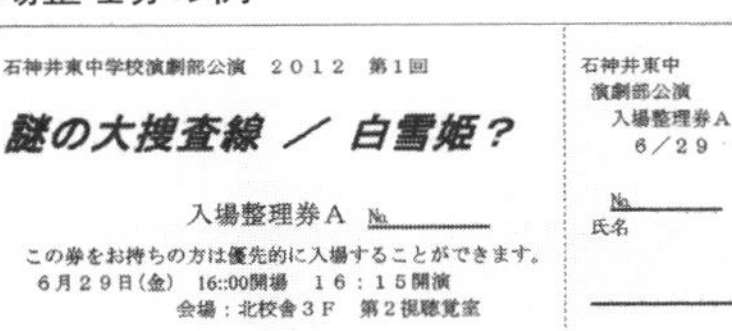
石神井東中学校演劇部公演　２０１２　第１回

謎の大捜査線　／　白雪姫？

入場整理券Ａ　№＿＿＿＿

この券をお持ちの方は優先的に入場することができます。
６月２９日（金）　16::00開場　１６：１５開演
会場：北校舎３Ｆ　第２視聴覚室

石神井東中
演劇部公演
入場整理券Ａ
６／２９
№＿＿＿＿
氏名

室内公演のチラシ例

さあ、はじまり！

教室でのマイナー公演でも、部員たちにとっては大事な公演です。とくに、新入部員で初めて出演する部員など、緊張してドキドキして大変です。顧問も、大きな公演と変わらず励ましてあげることが大切です。

そして、無事上演が終わったときには、頑張ったことをねぎらったり、良かったこと・悪かったことを出し合ったりしてしっかり反省会を行うようにしましょう。

7月

演技力の基礎固め

もし初めて演劇部の顧問になったら
もしエン
12か月
演劇と教育
2013年7月号掲載

●演劇部員の基礎固め

演劇部の生徒に演技力をつけるには、どんな練習があるでしょうか。劇を作る中で演技力はアップしますが、そこには限界があります。演技とは、劇中のその配役の人物になって、その人物だったらどのようにしゃべり、どのように動くかということです。だから、仮に自分が自分そのものの役として舞台に出た場合、何も考えず、自分として舞台にいられればそれが一番いいということになるかもしれません。実際そういう演出もあり得ます。

でも、普通はそうは考えません。上演する劇は、観客に見せることを目的にするからです。舞台上の役者は、劇中の相手とやりとりをする中で劇の世界を作ると共に、それを観客に見せて観客がその世界に浸り反応することによって、劇場全体で一つの世界を作り上げることになります。

演技者が登場人物として動き、相手役と対話をしながら、それを十分観客に伝えていくには声量や滑舌、日常の生活では普通必要とされない動きも、舞台の上では要求されます。それを楽しく確実に行うには、演技の基礎を固めるための様々なレッスンをやっておくことが重要です。

そのレッスンの中には、劇づくりの中で時間を作ってやれることもたくさんあります。日常的な発声練習などはそうです。しかし、劇を作っていると、どうしても基本的な演技力をつけるレッスンより、具体的な劇づくりの作業の方が優先されてしまいます。その方が結果が見えやすいことから、どうしてもレッスンはおろそかになりがちです。その意味で、一年間の中で、劇上演と次の劇づくり開始の間の時期を利用しての演技力づくりはいかがでしょうか。

いつやるか？　夏休みでしょう！

では、その時期はいつか？　東京を例にとると、地区大会が十月末から十一月上旬なので、新入生がまず少し基礎練習を覚えたら自主公演の準備に入り、七月初旬の自主公演が終わると夏休みになります。この夏休みが演技力づくりの期間に当たります。この時期に、秋の大会用の劇をどうするかを多少考えながら、活動としては脚本の読み合わせと演技力づくりをやっていくわけです。それも劇上演を見に行く機会や演劇ワークショップが開かれる機会などをできるだけ活かして、学校外の見学・練習を織り交ぜながらの活動となります。

全国的に見ると、地区の大会は七月の終わりに開かれるのが一般的なようです。そうすると、演技力をつけるための練習をやりやすいのは逆に七月末の大会が終わってからということになりそうです。大会が終わって三年生が引退する場合、大会の後の夏休みの期間、次の一・二年生による劇づくりに入る前が、基礎的な演技力を磨く期間と考えたらよいでしょう。

自由な心と身体を作る

演技の基礎には様々な内容がありますが、最も大切な事柄は、自由な心と身体を持つことだと思います。子どもたち（だけでなく我々大人はさらにですが）は、社会の中で何重にもバリアを張って自分を守ろうとして生きています。しかし、そのままでは心が守りに入っているため、のびのびした演技は出てきません。

自分の心を開くことができたとき、我々は生きることが楽になり、演技も楽にのびのびとできるようになるのです。それには、毎日のレッスンを積み上げる必要があります。そんな中で、ある日突然、自由になるコツをつかんだりする瞬間が見えるときがあります。すると、今まで見せなかった本人の心をのびのびと表現するようになったりします。

演技の基礎レッスンを、今回はポーズを作ることと即興的な演技の二つに絞って紹介します。

ポーズの練習①〈ゴム輪でポーズ〉

ポーズを取るのにも心が開いていないととても手足が不自由で、よく見ているとまるで手が縛りつけられているように動かない状態で演技をするようになってしまいます。だから、手足を自由に動かせるようにするのですが、まず必要なのは手足（特に手）を広げたり、高く伸ばしたりするポーズを取ることです。心が閉じていると閉じたポーズしかできないのです。

その訓練のために便利なのがゴム輪です。衣類用のゴムひもを三メートルぐらいに切って、丸くして結びます。それを両手と両足に引っかけてゴムをピンと張ったままポーズを作るのです。そうすると自然に手足が伸びて大きなポーズを取ることができるようになります。ゴムの形ではなく、あくまで体のポーズにこだわることが大切です。手足を伸ばしたら反らしたりひねったり、いろいろな可能性を追求します。さらに、ワンタッチで二人でポーズ、三人がやはりどこかを触れあってポーズ、みんなでポーズと、人を増やしてやっていくと、いろいろな新しいパターンの構図を作れるようになって楽しいです。

●ポーズの練習②〈一、二、三〉

少しポーズを取ることに慣れたら、瞬間的にポーズを取るレッスンとして、「一、二、三」がお勧めです。これは、体のいろいろな部分を意識して美しいポーズを取る練習になると共に、ストップモーションの練習や、表情を作る練習、舞台の立ち位置を意識する練習にもなります。そして何より、三年生ぐらいになって成長した部員になると、実に美しい、写真か彫刻にして残しておきたいと思うようなポーズを取れるようになります。それを見られるだけでもやりがいのある練習です。

練習の仕方は、教室の中のできるだけ広いスペースを舞台に見立て、手前に生徒を一列に並ばせて、順に三人ずつでポーズをとらせていきます。まず、一人が「せーの」で舞台に入っていって「一、二、三」の「三」と同時に舞台のどこかにポーズをぴたっと決めて、ストップモーションします。次に二人目

ゴム輪でポーズ。上は一人で、下は二人組で。

が入っていって「一、二、三、四」でやはり同じように、ただし一人目とのバランスの取れた場所とポーズを意識して、ぴたっと止まります。そして三人目は、「一、二、三、四、五」でポーズを決めます。一人目、二人目、三人目と、だんだん

瞬間的にポーズ。「一、二、三」

数える数が増えるのは、前の人がとった場所とポーズを意識して、バランスの取れた場所とポーズを決めなければいけないので、長くしているのです。でも、これは考えてやるよりは、瞬間的なひらめきでやるものなので、敢えて考える時間は与えません。三人がポーズをとった段階で指導者は三人の一人でも、全体でも、良かったところを具体的にほめます。場合によってストップしている生徒の場所を変えてみたり、ポーズの一部を変えてみて、その方がさらに効果的な良いポーズになることを教えます。

基本的に、立ち位置は一部に固まらず前後左右に上手に広がった方がいいし、ポーズは上に伸びたポーズや横に伸びたポーズ、ひねりの入ったポーズなど、様々なパターンのポーズがあると全体として美しい画面になるものです。もちろん、三人に共通するものがあっても良いのですが、できるだけバラエティーに富んだポーズを作るようにさせる中で個性が生まれ、成長が望めるのです。

他の指導でもそうですが、このようなときにけなしたり、ダメ出ししてやり直させたりするのは禁物です。いかにのびのびさせることができるかが勝負であり、絶対に心を閉じさせないようにしましょう。そして、最初のうちは身体を伸ばしたり、腕をはじめいろいろなところを開くことに重点を置き、だんだん慣れてのびのびしたポーズが取れるようになってきたら、指先、顔の表情まで意識させたり、ひねりやゆるみのあるポーズをとるようにさせます。

●即興劇入門 〈出会いのエチュード〉

豊かな表現を生むためには、即興劇は大変有効な練習です。これは即興劇を行うための基礎練習の一つです。一般的に劇づくりでは最初に脚本やシナリオやお話があるものです。でも「なにもなくても生まれるドラマ」というものもあるのです。それが「出会いのエチュード」です。

「なにもなくても……」といっても、身体はやはり必要です。その中に脚本やお話、つまりネタが眠っていると考えてください。ネタが眠りから覚めるとき、身体が時には道具や衣装や明かりや音そのものになったり、あるいはそれらを生み出したりします。さっそく始めましょう。

まず二人に出てもらいます。五メートルほどの距離を取り、向かいますが、その時お互いに右に半歩ほどずれて立ち、正面の一点を見ます。「一点集中」と呼んでいるものですが、この段階で互いの目は合わせません。「一点集中」とは、身体と心をニュートラル（＝白紙）の状態にするもので、一点を見つめたまま肩の力を抜き、ゆっくりした呼吸を行っていくと、顔の表情から感情が消え、この後どんな色にも塗ることができる身体と心が用意されます。

ふたりは気配で呼吸を合わせ、同時に歩き始めます。すれ違った後立ち止まり、ゆっくり振り向き目を合わせます。目を合わせた瞬間、何かを感じますからそれを大切にしてください。さらに相手の目を見続けていると、胸の奥でわき起こってきた何かがぐんぐん膨らんできます。するとひとりでに動き始めるか、さもなければ身体を動かして何かしたくなります。遠慮することなくどんどん動かしてください。表現の場では「何でもあり」です。思い切って、したいことをして、出会いを楽しんでください。このときの重要なことをいくつか挙げておきます。

①常に相手の目を見て、いつも何かを感じ続けることです。そうすれば相手が自分の行為を歓迎しているのか、嫌っているのかがわかり、初めの仕掛けも安心して大胆に行えます。②初めのうちは、無言（湧き出してくる笑いや泣き声などはかまいません）で行います。有言だと、立ち止まっての「しゃべり」になってしまいアクションが弱くなるからです。③「やりたくないことはやらない」――これも約束事です。やめたくなったら表現の場から客席に戻ってもかまいません。

結果として派手な動きがなくても、例えたたずんでいるだけでも、心が動いていればそれは素敵な出会いです。見ている人にも、それは十分に伝わります。

エチュードの終わり方ですが、繰り返しのパターンに陥ったり、テンションが下がる一方の時、指導者は手を打って終了させてください。時間は二～五分が適当でしょう。

（正 嘉昭）

8+9月

発表会の劇の脚本を選ぶ

もし初めて演劇部の顧問になったら
もしエン
12か月
演劇と教育
2013年8+9月号掲載

●劇の良さは脚本で決まる？

　上演劇の脚本を決めるのは、演劇部の運営の中で最も大きな課題です。

　文化祭や学芸会の取り組みが始まる夏頃になると様々な学校の顧問や学年劇の担当者から「何かいい脚本はありませんか」という質問を受けます。でももちろん「これがいいですよ」と言えるほど脚本選びは簡単ではありません。

　脚本を選ぶにはいくつかの必要な条件があるからです。その条件はたくさんありますが、大きいものでは、人数、男女バランス、テーマまたはジャンルなどでしょうか。その他のことは工夫次第で何とかできても、男女バランスを含めた人数の条件はかなり絶対的なものがあります。この条件を無視して上演しても、その無理は結果に表れます。そして、もっと大切なものはテーマです。劇は、創作か既成脚本かに関わらずテーマがあって初めて作られ、上演されるものです。上演するからテーマが必要なのではなくて、訴えたいことがあるからそれを伝えるために劇をつくるのです。だから、劇を見たときにその訴えたいことが何だか分からなかったり、見ている人に全く迫ってこない上演は劇としての価値を認められないと言っても過言ではありません。そして、その訴える内容は、ほとんど脚本によって限定されると言ってよいでしょう。だから、脚本が良くなければどんなに劇づくりに努力しても、劇としての総合的な評価を得るのは難しいでしょう。脚本が良いのに演技がそれを台無しにしてしまうということもありますが、演技がそこそこでも脚本が良かったために観客の心を捉えたり、良い評価を得るのはしばしばあることです。だから、脚本は良い劇をつくるための大きな前提条件になるということです。

●作るか選ぶか？

いろんな条件を完璧に満たす作品なんてあるはずがありません。人数で選べばテーマが後回しになったり、テーマやストーリーの良さで選ぼうとすれば、人数や男女の関係を我慢するようになったりします。そうなったときに、どうしても考えなければならないのは脚本を書くことです。それに優る選び方はありません。さらに、オリジナル脚本での上演は、脚本の披露という意味においても上演の価値は生まれてきます。

もちろん、踏まえたい作劇上の技術はいろいろあるし、思ったままに書いた劇は、場面転換の多い、観ている人に不親切な劇になりがちです。とくに生徒が作った脚本はそうなりやすい傾向にあります。

人生経験の少ない生徒が書く脚本は、社会背景や人物に関して彫りの浅い作品になったりしますので、生徒が書く脚本には、大人（顧問）の手を入れる必要が出てきます。オリジナル脚本を作ることに関する注意点はその他たくさんありますが、オリジナル脚本づくりには、一度はトライしてみてほしいと思います。なお、脚本の書き方については、「演劇と教育」二〇一二年十月号で、斉藤俊雄氏がわかりやすく書いていたり、時々、脚本の書き方の特集を組んでいるので参考にしてください。

それに対して、既成の脚本を選ぶ場合は、いろいろな条件をもとに、たくさんの脚本の中から候補作を出し、それを絞り込んでいって、できるだけ自分たちの演劇部（または文化祭の劇など）の条件にあったものに決定することになります。ここでは、その選び方の方法や注意点について重点的に述べていきましょう。

●脚本集から選ぶのが基本

脚本を何から選ぶか？　まず、基本に置いてほしいのは、脚本集を読みあさることです。脚本集は小学校・中学校・高校、それぞれかなり発売されていますので、図書室にあるものや、新しいシリーズものを取り寄せるなどして、できるだけたくさん読んでみたいものです。劇はそのときそのときの学校や社会や子どもを反映したものなので、古いものだと時代に合わない部分が出てくることも多いです。でも、作られたときから時間が多少たっても、脚本集に載せられているものはしっかりした作品が多く、読んで検討する価値はあります。

脚本は小説と違って台詞だけで書かれているので、細かい情景や感情表現などは書かれていません。もちろん最低限のものはト書きに書かれているのですが、それで情景を思い描きながら読みこなすにはかなりの力が必要です。だから、注目に値すると思われた作品はできるだけコピーや印刷をして、みんなで読み合わせるようにします。仮の配役を決めて台詞として声に出して読み合わせると内容がつかめるので、良い脚本かどうかがわかりやすくなります。

しかし、それだけではまだ分からないこともあります。それは、舞台に載せたときにどんな感じになるかということです。ストーリーとして読んだときには面白くても、舞台に載せたとき良くなるものと、そうでないものがあるのです。それは、脚本を書くときの書き手の意識で変わってきます。良い脚本は、書き手の頭の中に舞台があり、そこで登場人物が動いて会話をしています。だからそう簡単に場面転換は行われず、舞台で動きやすく、会話では登場人物に個性が生きていたりします。そういう作品かどうかは、顧問が良く判断して、生徒にもそれを伝えないといけないでしょう。

●インターネット脚本の問題

最近の傾向として、生徒に脚本選びを任せると、多くの場合、生徒はインターネットから脚本を探してきます。インターネットの脚本のサイトからだと、人数やジャンルを設定して絞り込めるので選びやすいのです。しかし、インターネットの作品については、顧問が良い作品かどうか吟味する必要があります。これは決して偏見ではなく、インターネットに載せられた作品には良いものと悪いもののばらつきが多く、敢えて言うなら、舞台用に書かれていない作品が多いです。

つまり、インターネットの場合、実際に舞台で上演していなくても載せることができるので、明らかに作者がテレビドラマのシナリオを書く感覚で書いていると感じられるものが多いのです。そのような作品の特徴としては、まずト書きによる場面や人物の行動設定があまり書かれていないこと、登場人物の紹介もあまり書かれていないこと、場面がテレビドラマのようにすぐに変わること、などがあげられます。もちろん、インターネットにも良い脚本はあるので、単純に拒否するのではなく、しっかりと吟味すれば良いと思います。

●中学校での高校脚本

かなり前からの傾向として、中学校の演劇発表会では高校演劇の脚本を用いた劇が盛んに上演されています。高校演劇では「演劇の甲子園」とも言われる全国高等学校総合文化祭が開かれて、各地方代表のレベルの高い高校演劇が最優秀賞を目指してしのぎを削っています。ここに出される脚本の多くはオリジナル作品で、面白さの点で中学校演劇の脚本がなかなかかなわないというのが実情です。面白く見ごたえのある劇を作りたいと思ったとき、高校演劇の脚本は無視できないと言ってよいでしょう。

石神井東中学校『もしイタ』の舞台
(2013年)

そうは言っても、多くの中学校演劇の顧問がそれで良いと思っていないこともまた確かです。あくまで高校演劇の脚本は高校生用に作られたものであり、高校生の問題意識を中心に、高校生が演じることを前提に作られたものだからです。それを中学生が演じるときには、中学生が高校生を演じたり、舞台が高校だったり、無理して背伸びをして演じることになります。中学生の持つ独自の世界や問題を描くことは不可能です。そして、高校生の演技のものまねになってしまう傾向もあります。

決して、高校演劇の作品を演じるのが悪いというわけではありませんが、常にこのような問題意識を持って、同じ高校演劇を取り上げる場合でも取り上げる脚本や演出などをよく考えて上演したいものです。

●『もしイタ』脚本選定の過程

今年三月、練馬区立石神井東中学校は、畑澤聖悟さんの脚本『もしイタ〜もし高校野球の女子マネージャーが青森の「イタコ」を呼んだら』で都大会や関東大会に出場し、上演した舞台はたいへん好評を博しました。昨年度の高校演劇最優秀作品の『もしイタ』は、登場人物の人数が多く、かなりの人数の男子が必要とされる劇です。石神井東中は部員二十六名、内男子が十二名で、この劇を上演するのに十分な生徒数がいましたが、中学校でこれだけ十分な条件を

『もしイタ』の上演を終えて―石神井東中学校演劇部員たち（2013年）

備えた演劇部は滅多にありません。さらに、テーマが津波にも関係したもので、被災者の方々を元気づけるものであること、そして何より題名を含めた圧倒的なこの劇の持つ斬新さ・面白さなどを考え、今の演劇部の演技力、配役までも考えた上で、最終的にはこの劇を上演するしかないと決意し、上演脚本に決定しました。

生徒は、必ずしもこの劇を推していたわけではありませんでした。実は石神井東中演劇部のために別の人が書き下ろしてくれたオリジナル作品があったのです。書き下ろしの作品があればそれを上演するのが普通でしょう。一時は、生徒との話し合いの中で、この『もしイタ』を候補から外そうと考えました。それでも『もしイタ』に舵を切ったのは、上演したときの劇の結果について、顧問はしっかり責任を持つ必要があると考えたからです。単純に「生徒が選んだのだから、取り上げよう」とはいかないのが、教育としての学校の部活動でしょう。

演劇部を持って間もない顧問が、以上のような条件を勘案して自信を持って脚本を選ぶことは難しいことです。脚本を選ぶ大切さを知っていただく意味で、石神井東中の例を挙げてみました。

10月

劇を作る

●答えのない「劇づくり」

「演劇部の劇の作り方はこうでなければいけない」というものは存在しません。「こうやればよい劇ができる」とか、「こんなことやっているとなかなかよい劇ができない」ということはたくさんあります。

我々演劇部顧問である教師は、学級経営や教科指導についてはプロであっても、演劇部運営に関してはプロである必要はないと思います。そうでなければ誰も演劇部を持とうとは思わないでしょう。

したがって、演劇に関するアマチュアである我々演劇部顧問は、あくまでアマチュアとして、生徒と一緒になって劇づくりを楽しむ姿勢があればよいのです。上演した劇がどうだったかというのはまた別の話なのです。そして、プロとして修行を積んでいるわけではない我々の作り方は、それぞれの顧問・演劇部で工夫しながら作る部分があってよいし、むしろその作り方の個性が尊重されてこそ、お互いの舞台作品を見たときに楽しむことができるのかもしれません。

演劇は「何でもあり」の世界です。その意味で、このシリーズで書いていることも、あくまで「こうしてみたらどうでしょう」「こんなやり方がありますよ」というサジェスチョンであって、「こうでなければならない」ということではないのです。劇の作り方も人によってさまざまです。劇づくりの名手が使っている方法を、自分もやらなければならないと思ったら大違いです。むしろそれをやったら大失敗するということだってあります。指導する人の持っているものを活かすのが一番なのです。

ここに書いた劇づくりの手順は、私が演劇部で行っているものを元にしています。基本的に誰でも行うことができる、オーソドックスなやり方ですが、もし「これはやりにくい」と思えるものがあったら、自分なりに工夫してやってみましょう。

●役決め

脚本が決まったら、役を決めます。すぐに役を決めるとは限りません。ある程度どの役を誰がやるとどうなるかわかるまで、その時その時で配役を替えながら読み合わせをしたり半立ち稽古をしたりしていると、だんだんとみんなにどの役には誰がいいか、決まってくるものです。それは生徒の目であって必ずしも正解ということではありませんが、そこから生徒の演技に対する嗜好や友だち関係など、いろいろなところが見えてきたりします。その段階で顧問が配役を決めてあげるというのも一つの方法でしょう。特に人数の少ない演劇部の場合などは、それでうまくいく場合が多いかもしれません。

一般的に行われるのはオーディションです。一つ一つの役について、希望者が部分的に演じて、それを審査するわけですが、いつも希望は第三希望まで書かせて、同じ役の場合、第一希望で書いた生徒から演じるようにしていきます。オーディションは、生徒が気合いを入れて、普段と見違えるような演技を見せることもあります。部員にとっては公正な形となるので、稽古の中で配役が見えてくる場合でも、オーディションの形を取り入れることは必要だと思います。

その上でもう一つ、やっておくとよいのが、部員に配役の案を考えさせることです。部員一人ひとりにとっては全体の配役がどうなるかより、自分がどの役になるかが大切で、自分が思う役につけなかったときには単純に不満を持つこともあります。そこで、全員に、自分が配役を決めるとしたらどの役に誰を当てるか、書いて提出させるのです。提出したものを見ると、全部の役を決めていなかったり、役によっては一人に決めていなかったりと中途半端なものが目につきます。配役を決める場合、なかなか全員が満足することは難しいということを知らせることにもなります。

それから、全部の役が決まるまでは、発表をしないということも大切です。やり方としては、主要な役からオーディションで一人ずつ決めていくやり方もあり得るでしょう。でもそうすると、ある役に一番上手に演じた生徒をつけてしまうことによって、別の役に当てはまる生徒がいなくなってしまう、ということも出てきます。その場合、その生徒が主役を第一希望にしていて、オーディションで一番うまかったとしても、その生徒を主役にするのは間違いという場合がありえるのです。なぜなら、演劇部では、個人の希望通りの役に就かせることによって劇全体のバランスを崩すより、劇全体がバランスの取れた良いものであることを目指すことが賢明だからです。

半立ち稽古

台本を持って動いて稽古することを半立ち稽古といいます。中学生の場合、配役を決めたらあまり読み合わせに時間をかけることなくすぐに半立ちに入った方がやりやすいでしょう。その方がイメージがわきやすく、また顧問も劇のプロではないので、何となく動かしてみて、生徒と共にだんだんと劇のイメージを固めていくほうがやりやすいからです。最初に全ての自分のイメージを作り上げて演出していくことは相当な脚本を読み込む力と努力が必要ですが、そうやってしまうと生徒の発想を活かす余地がなくなってしまう点でもマイナスです。

［上］読み合わせ
［下］半立ち稽古

立ち稽古

本当に劇を見ごたえのあるものに作り上げていく段階は、もちろん台本を放した本格的な立ち稽古です。台詞を見ないことによって、お互いの会話を成立させていったり、動きを自然なものに、または面白いものにしていかなければいけません。基本的に立ち稽古では途中でうまくいかないところや、改善点が見つかったところで演技を止め、やり直しながら進めていきます。

そして、ある程度上演が近くなると途中で止めることなく最後までできるだけ進める「通し稽古」をやったり、衣装・音響・照明などまで全て整えて本番通りに上演してみる「ゲネプロ」と呼ばれる稽古をしたりします。

「ダメ出し」について

立ち稽古のときに、どのような観点で、どのような方法で、注意を与えたり、やり直しをさせるかによって、劇は全く違ったものになっていきます。劇の見方や演技のやり方についてまだ自信のない顧問にとっては、練習の演技をどのように見て、どのように注意を与えれば良いか、難しいところでしょう。

中学校演劇の優れた指導者であった栗山宏さん（東京）は、

よく「演技の指導は、舞台からウソをなくしていくことだ」と言いました。つまり、顧問が見ていて「不自然だ」と思うことを指摘し、自然に見えるようにしていけばいいのです。ただ、先生と生徒では世代の問題も含めて感覚が違っている部分があります。まして新しい顧問となれば、先生の指摘が部員たちにそのまま素直には受け入れられないのが当然と思わなければなりません。だから、誰にでも納得できる理由（たとえば、登場人物であるその人にとっては初めて出会う出来事のはずなのに、それが分かっているような動きをしてしまうなど）でない限り、不用意に「何となく変だ」のような指摘をするのは避けた方が良いでしょう。

基本的に生徒は、自分の演技がダメだと指摘されると気持ちが萎縮して、のびのびした演技ができなくなっていくものです。それは、生徒同士で指摘し合った場合でもそうです。だから、『ふるさと』他の作品で知られる斉藤俊雄さん（埼玉）は「ダメ出し」はやめて「ヨシだし」と名づけ、お互いに良かったところを言わせるという指導の仕方をしています。また東京の中学校演劇の第一人者、安藤俊弥さんの指導方法では、単にダメと言うのでなく、「この部分をもう少し面白く」とか「この人物の本当の気持ちを表せるように」などの要望を示して、生徒たちで何通りか自主的に考えさせるやり方を行っています。これらは萎縮させるのでなく、生き生きとした演技を生み出す指導上の工夫です。

一生懸命作る

舞台を上手に作るための技術というのもあります。それは演技にもありますが、舞台装置、音響、照明、道具関係などさまざまな技術があり、いざホールで上演しようとしたときなど、分からないことがたくさんあってまごつき、失敗することも必ず出てくるものです。でも、それは素人なら当たり前のことで、最初から何もかも知っていなければいけないという方が間違いです。

ただし、一つだけ絶対に知っておいて欲しいのは、劇はみんなで精一杯作って欲しいということです。劇を上演したとき、見ている人が誰であろうと劇がつまらないからといって簡単にそのホールから出て行ってしまうことはあまりありません。また、学校の文化祭などは、生徒一人ひとりが希望しなくても見ることになります。上演する側が見る人たちのその時間を劇によって独占するのです。その点では、プロも私たちアマチュアも変わりはありません。もちろん、ホールでの上演であれば、自分たちの劇のために、ホールのスタッフたちにも一定の作業を強いるわけです。だから、上演する生徒たちにできることはたった一つ、劇を精一杯作り上げ、精一杯上演することです。素人顧問としても、分からないながら、手抜きをすることなく、一生懸命やってみた結果をお客さんに見せることが大切でしょう。それがお客さんに対する礼儀だと、私は思っています。

11月

発表会での上演

●リハーサル

今回は、発表会で上演するにあたって、知っておくとよいことをいろいろお伝えしましょう。まずは会場でのリハーサルからです。

　リハーサルへ向けての準備はとても大切です。それだけでもこの連載一回分になるほどです。地区や会場によってかなり違いがありますが、注意することとしては、照明のやり方（操作するのは生徒かホールスタッフか、どこまでプランを立てておく必要があるかなど）、音響の操作位置や使えるソース（CD、MD、カセット）、音の大きさの確認方法、セットを持って行くか行かないか（持って行かないなら、代わりの物として何を置くか）、バミリテープ（道具や立ち位置の目印）の用意、などです。

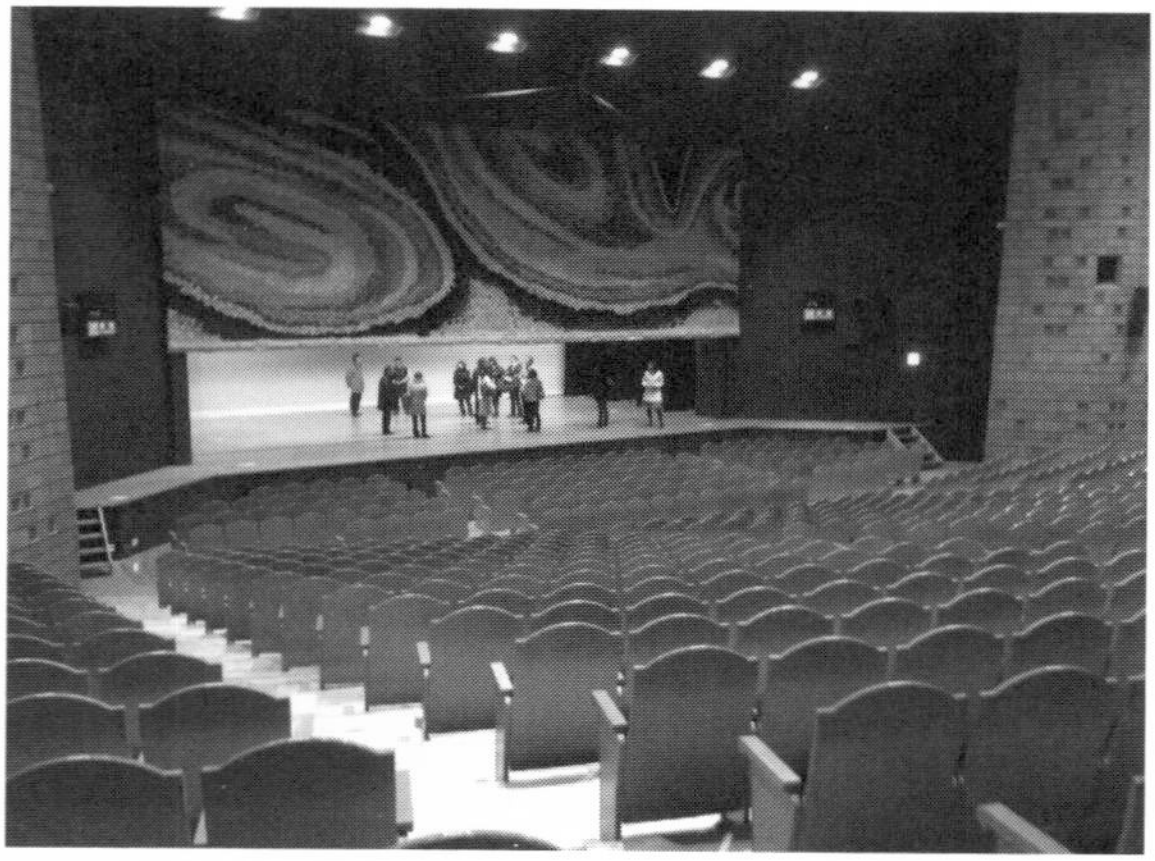

ホールの下見――会場の広さの感覚をつかみ、袖幕のどこから出入りするかなども、よく見ておこう

郵便はがき

恐れ入ります
が
切手を貼って
お出しください。

101-0064

東京都千代田区猿楽町2-1-16-1F

晩成書房

編集部 行

あなたのことを教えてください!

おところ

〒□□□-□□□□

☎ (　　　)

ふりがな

お名前

男・女

歳

お仕事は…

勤務先・学校名・クラブ・サークル名などを

ご購入ありがとうございました！
図書名をお知らせください。→

こんにちは！ お元気ですか？ ちょっと唐突ですが，この世の中 やっぱり一人ひとりが もっと自分らしく，個性豊かに，元気に生きたいですね。もっとお互いに ことばとからだで表現し，コミュニケーションし合って，しなやかな人間関係ができればステキですね。…私たち晩成書房では，そんなことを考えながら，子どもたちの全面的な発達を願う演劇教育の本を中心に，シュタイナー教育，障害児教育などの教育書，さらに演劇書，一般書の出版を続けています。また，あなたと，さらに良い出会いを持ちたいと思います。本書についてのご意見・ご感想，あるいは本書に限らず，あなたご自身のお考え，活動のこと，必要を感じられている図書などをお聞かせいただければ幸いです。

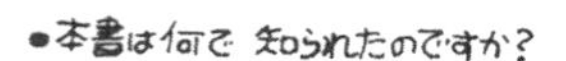

●本書は何で 知られたのですか？

●あなたからのこのおたより，晩成書房の読者のページ「おのまとペ」で紹介させて頂くことがあります。（月刊「演劇と教育」巻末です）ペンネームなどご希望の方は，その旨お書きください。

そのためには、準備の会議やホールスタッフとの打ち合わせで、できるだけ細かいことを聞いて知っておかなければいけません。これは馴れていない顧問にとってはとても難しい作業なので、馴れたベテランの顧問に相談に乗ってもらいましょう。

そして、ぜひともやっておきたいのは、リハーサルの時間、三十分なら三十分、四十分なら四十分をどう使うか、その時間の割り振りです。これは、スタッフの都合に合わせる必要もあるので、必ずしもこちらの予定通りにはいきません。それでもまずはやるべきことを整理して生徒たちに伝え、それぞれの場所でのリーダーを決めるなど、顧問が細かい指示を出さなくても、それぞれの担当で動けるようにしておきたいものです。

会場でのリハーサルは、音響や照明の仕込みのため、立ち位置や道具などのバミリのためのものが中心となります。ですから、舞台上で演技の稽古はあまりできません。登場人物の動きの確認はしっかりしておきましょう。立ち位置や上手下手の出ハケ（登退場）は確認しておきましょう。また、やっておきたい場面をあらかじめ決めておくと、リハーサルの時間を有効に使うことができます。

●上演に向けての心構え

同じ劇でも、上演する時の役者の気持ちで、全く違った劇に見えるくらい、劇が変わってきます。

それがよく分かるのが、東京の場合では都大会の上演です。都大会ではよく地区大会の上演と比べられます。地区大会のあと練習期間があるから、都大会ではさらに良くなっているかというと、それは当たりません。むしろ半分以上が、「地区大会の方が良かった」と言われます。その理由はいろいろ考えられますが、今回は、上演に向けての心構えで失敗しやすいことをお話しします。

まず、緊張するなと言ってもそれは無理でしょう。上演前は誰もが緊張します。大きな大会になればなるほど、緊張で固まってしまうことがあります。でも上演が始まってからは、どれだけ稽古で作り上げてきたか、またどれだけお互いを信頼しているかで、舞台が大きく違ってくるのです。

ある演劇部員の感想を紹介します。「関東大会、大事な発表、本番前なら人間だれもが緊張することでしょう。私は口から心臓が飛び出しそうでした。しかし不思議なもので、舞台の上で一つの音となり、人となって動き回っていると、心音は変わらずうるさいのに、自然と不安はないのです。きっと『一人じゃない』という安心感があったからですね。劇に限らず、『仲間と力を合わせる』という場面において一番大事なことは、『心』を合わせることだと思っています。一人でも、それがすれ違ってしまえば、表面上良くて中身の無いものになってしまうから。舞台の上で、緊張しながらも『一人じゃない』と思えたのは、信頼というつながりで、心を合わせることができていたからなのではないかと、考えています。信頼している仲間とともに、演劇部員として関東大会の舞台に立つことができて、とても嬉しく思っています。」お互いを信頼するという、演劇活動の基盤がいかに大切か、よく分かる感想だと思います。

逆に、本番になった時に、私が「あっ！」と叫びたくなってしまうほど、生徒がアガった状態で劇が進んでしまったことがありました。セリフが走ってしまい、無味乾燥な劇になってしまったのです。また、地区大会で観客が大笑いした劇なのに、都大会では全く笑いが起きず、役者は笑わせようとして力むのでますます空回りし、時間がオーバーするほどテンポも悪くなってしまったという劇もありました。

●上演直前の段取り

やはり上演前には、段取りに気を遣います。

恵まれた会場では、出演の前に声出しができるよう、リハーサル室が用意されることがあります。その場合には、出演の順番の一つ前になると会場から席を立って、楽屋に行き、着替えて髪型を整えたりした後、早めにリハーサル室で声出しをやったり、最後にぜひやっておきたい場面を演じたりします。

でも、普通はリハーサル室などはなくて声出しもできず、普通の声も差し控えてささやき声しか出せないことも多いでしょう。そんなとき用のものに、正嘉昭さんがある時ふと楽屋で思いつき提唱しているエクササイズがあります。みんなで丸くなって座り、誰かが相手（隣の人は除く）に「こんにちは」と、アイコンタクトをしっかりして挨拶言葉を送るのです。送られた人は送ってくれた人以外の誰かに「こんにちは」を送り、そうやっていろんな人に「こんにちは」と挨拶を送っていきます。これはアイコンタクトや集中の練習に良いので、普段の活動でも使えます。

ところで上演前に、私が必ず言うようにしていることがあります。次の二つです。

①セリフを間違えたときに、それで失敗したと思わない。誰かがセリフを失敗したために劇の評価が下がることはないから。

②劇にはアクシデントがつきもの。予定外のことが起こった時には「しまった！」と思わない。あって当たり前のことが起こっただけなのだから。

まず①について。セリフをとちった場合、よくその生徒は劇が終わった時に「ごめんなさい」と謝ったり、責任を感じて泣いたりします。でも、責任を感じる姿勢は良いとしても、ほとんどの場合、それがその上演の欠点として取り上げられることはありません。それで劇が完全に止まってしまったり、戻ってしまったりすれば別でしょうが、かなり台本をとばしてしまっても、観客の方はそういう台本だと思って気に留めないものです。

●アクシデントも楽しんじゃおう

②のアクシデントについては、いろいろな例があります。アクシデントがあっても、慌てなければ「災い転じて福」のようなこともありえます。かつて『チキチキ☆チキンハート』という劇を山﨑伊知郎さんが上演していた時、アクシデントで舞台装置のニワトリ小屋が壊れてしまいました。会場は全員どうするかとハラハラしたのですが、役者の一人が出てきて「あ～あ、壊しちゃって、直すから手伝って」とか言って、何気なく直していきました。

また、ある地区大会でのこと。教室の場面で、教室のパネルの上にセットしてあった屋外の絵を描いた布がだんだん下がってきてしまいました。教室がだんだん屋外になってしまったのです。役者たちは慌てたでしょうが、「なんだ？これ」「工事だ、工事」とか言って、その布を巻き上げていました。顧問にとっては痛恨かもしれませんが、今思い出しても面白くて、思い出し笑いしてしまいます。こんなことを楽しめるゆとりが劇の世界にはあって良いと思うのです。

私の失敗の経験もいろいろあります。そもそも最初に都大会に出た時は歌って踊る場面の伴奏が流れず、生徒たちは伴奏なしで歌って踊りました。でも、その後、生徒たちはスタッフさんから「伴奏がなかった方が良かったと思う」と、ナイスフォローをしてもらって満足していたし、別の都大会の時には、劇の中心テーマである写真のスライドが、プロジェクターの不具合で映らなかった時、「どんな写真だろうと想像が膨らんで良かった」と言われました。そしてそれによって評価が下がるということはほとんどなかったのです。

もちろん、「万事塞翁が馬」と言うわけにはいかないのですが、アクシデントはあって当たり前と思い、生徒だけでな

本番前の円陣（調布六中）――本番前に円陣を組むと気持ちが高まる。舞台上では声は厳禁！ かけ声は小さなささやきで

く、顧問も、最大の注意を払いながらも、そのくらいの心の余裕を持ちたいものです。

●劇が終わったら

上演が近づいてきて、緊張感が高まり、上演までにやらなければならないことが見えてきた時は、活動としてとても充実感のある素敵な時です。

劇を迎えるまでの間、演劇部の中にはいろいろなことが起こります。順風満帆でバッチリ準備ができて、部員の仲もみんな良くて、いつも部員が揃って練習ができる、なんてことはまずありえないと思ってください。まして、初めて顧問になって、そんな準備段階を過ごせたら幸せすぎます。

道具は揃ってないし、部員のトラブルは起きるし、本番まで一度も全員揃った稽古ができないし……これで本当に上演できるんだろうか？　まあ、これが当たり前だと思ってください。

それでも、キャストもスタッフも、生徒たちにとって、上演を迎えた時は、まさにまな板の上のコイ状態です。台詞を忘れても自分で何とかしなければならないし、動きが自分のものになっていなければ立ち尽くしたまま演じなければならないのです。

顧問として、早めに、舞台の上に立った時のことを生徒に想像させせて、後悔のない稽古をするように仕向けたいものです。また、お客さんに失望させない劇にするために、励ましと適切なアドバイスを生徒たちに送り続けたいものです。

そして、劇が終わった時は、ホッとした生徒たちに、温かいねぎらいや賞賛の声をかけてあげてください。

12月

舞台を良くするための基礎知識

―舞台装置編

演劇と教育
2013年12月号掲載

●劇づくりが一番

十二月。主な発表会も終わり、大きな大会はないかもしれません。しかし、それでもう活動終了閉店では部員たちがかわいそうです。演劇部が日常活動だけで活発に活動するのはとても難しいことです。劇を作っている時はいろいろと面倒なことがあって大変なのですが、なるべく発表の機会を作って劇づくりを続けていくことが、部員たちのまとまりを作り、演技力を向上させるためにも良いことです。一般的には、十二月以降の大きな発表の機会というと三月の「三年生を送る会」ということになるでしょうか。そのためにゆっくりと準備をするのも良いし、その間に自主公演を組むのも良いかもしれません。

さて、劇づくりを重ねていく中で少しずつでも良い舞台をつくれるようにさまざまなことに挑戦していきましょう。そこで取り上げたいのが、舞台装置・小道具・照明・音響など、裏方の仕事とされることです。どれも基礎知識があるかないかで舞台の出来が左右されます。

●舞台装置を作ってみよう

かなり多くの顧問が大道具については「作る」ことに苦手意識を持っていて、できることなら何かある物で済ませようとします。もちろんある物で済ませられるのならそれに越したことはないかもしれませんが、そう適当な物があるわけではないし、無理して代用品を使った劇はお粗末で、それだけ力を入れて作っていないということで舞台に対する期待をしぼませてしまいます。

まず、基本的な舞台装置を作ってみましょう。基本的な物としてお勧めしたいのは第一にパネルです。第二に四角い箱です。どちらも大変多くの舞台で利用でき、練習の時にも便利に使えます。

●パネルを作る

パネルは、さまざまな大道具、とくに建物・部屋の壁を表す道具としてとても有効です。大道具づくりの基本はパネルづくりだと言えます。大きな装置が作りやすいし、何回も使えるし、いろんな変化をつけることもできます。

パネルというのは、ベニヤ板に角材で枠を付けたものです。舞台装置は「できるだけ軽く作る」のが原則ですから、普通に壁として使う場合、ベニヤ板は三ミリ程度の薄い物を使います。ベニヤ板の大きさというのは決まっていて、一般には三尺×六尺（一尺は三〇・三センチ）という、約畳一枚分の大きさです。この大きさを一般に「サブロク」といいます。角材は小割という細めの物を使います。

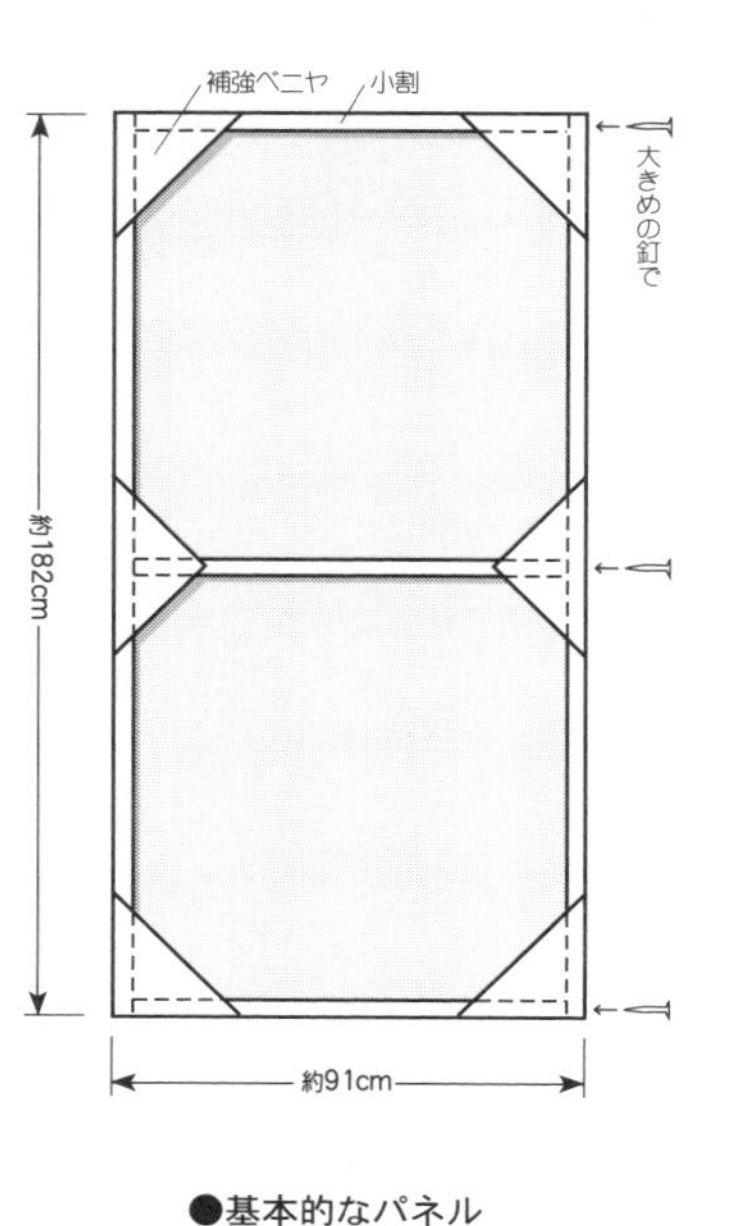

●基本的なパネル

まず入門編として、ベニヤ板一枚分のパネルを作ってみましょう。ベニヤ板の裏に小割で「日」の字形の裏打ちをするのです。小割は、まず縦の長い縁に合わせて二本切り、ベニヤ板の面からくぎを打ちつけていきます。ベニヤ板には表面と裏面があるので注意してください。裏面にはシールが貼ってあるし、見た目が汚いのですぐに分かります。それから、小割の断面は長方形になっているので、短い方の辺をベニヤにあててください。その方が横から見て厚みのあるパネルになるので、しっかりします。私は釘で打つ前に、丈夫になるように木工用ボンドをつけておきますが、そうすると失敗した時、修正が難しくなるので、つけなくてもかまいません。

釘を打つのは生徒が大好きな仕事です。ぜひやらせてあげましょう。その際、出来るだけではありますが、小割をつけるときにベニヤの辺から一ミリもはみ出さず、引っ込まさずに取りつけておきたいのです。その方がしっかりした使いやすいパネルになります。ところが、厄介なことに小割は決して真っ直ぐではありません。程度の差こそあれ、必ず反っています。それを修正しながらベニヤ板に取りつけていくのです。そのためにはこうします。まず、ベニヤ板に小割を合わせる時、両端がぴったりになるように合わせますが、そのときに真ん中がベニヤ板の外側に湾曲するように当てるのです。そうして、両側を釘で打つと真ん中はベニヤ板の外にはみ出ることになるので、次は小割の真ん中をベニヤ板とぴったり揃うように押し込みながら釘を打ちます。そしてさらにその間をベニヤ板と合わせながら打ちます。こうしていけば、ベニヤ板と小割の段差が全くないように打てます。釘の間隔は一〇～一五センチ程度、釘の長さは二センチ前後なら大丈夫です。なお、長い辺だけ小割をつけようとしているとベニヤがしなるので、間に適当に小割をあてがってベニヤを平らにして作業しましょう。

次は、「日」の字の横棒に当たる部分ですが、先に寸法をとって切っておく方法ではなかなかぴったりの長さに切ることはできません。縦棒に当たる長い辺を取りつけてから、小割をあてがって目印の線を書き、切るようにするとぴったりの長さに切れます。その目印の線は小割の二つの面に引いておいて、その二つの線に合わせながらのこぎりで切ると小割の切り口が斜めにならないように切ることができます。これをパネルの上、下、真ん中の三本打ちつけるわけですが、真ん中は最後に、寸法で真ん中を計ってベニヤに線を書き、その線と合うように、小割が線とずれないように下を覗きながら釘で止めていきます。もちろん、両端を打ってしまえば、あとは線の上を打っていけば良いので簡単です。

さて、五本の小割を打ったところで、仕上げに長めの釘で小割と小割を止めるように横から打ち付けます。もちろんこのときは、パネルを横向きに立てて、上から打ちこみます。つぎに、それぞれの継ぎ目に三角形にベニヤを切って補強のためにつけるとパネルは完成です。

●人形立て

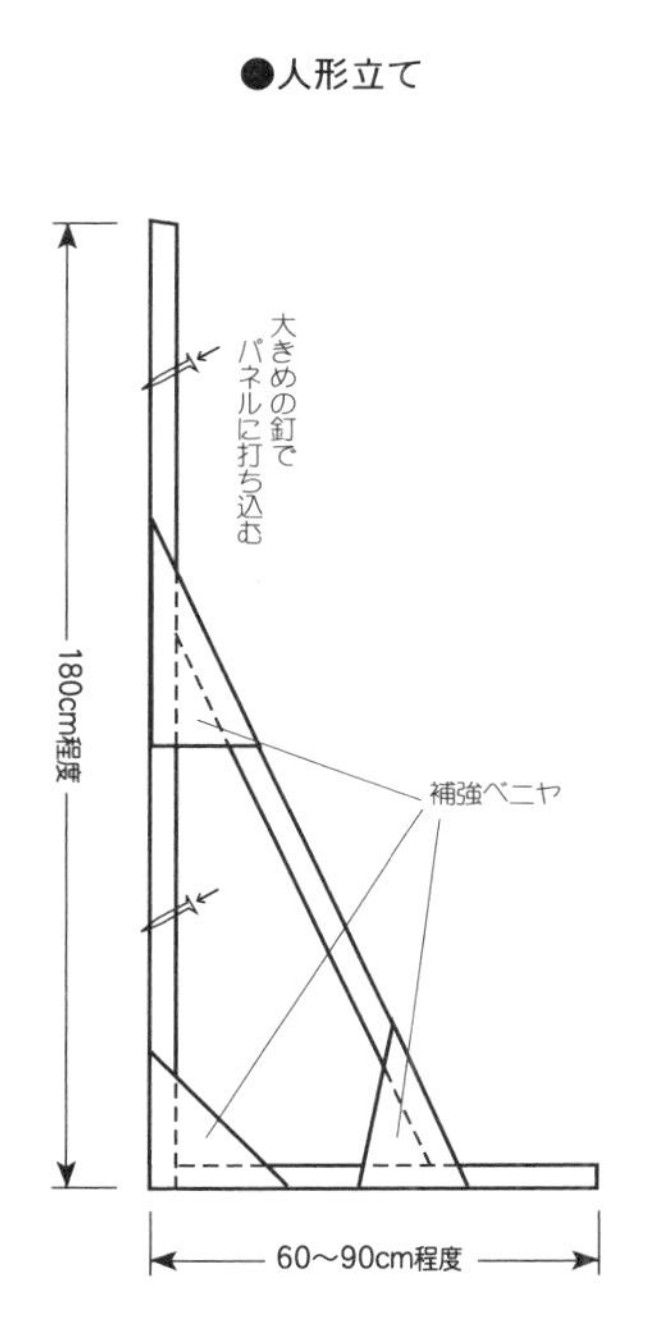

●人形立てを作る

パネルを立てるものとして、人形立てというものを使います。これは、角材をL字型に組んで、それを斜めの角材でゆがまないように支えた物です。角材は、ちょっと頼りないようですが、小割で組んだパネルを支えるのですから小割で作った人形立てで十分です。パネルの時のことを応用すれば、図を見てきっと作れると思いますが、パネルの時にはだめ押しのような存在だった三角形の補強材が、ここでは縦と横の角材の角度を固定する重要な役割を果たすことになります。とにかく、人形立てについて絶対的に大切なのが、縦と横の小割が完全に垂直になることです。だから補強材をつけるときに十分に注意することが必要です。

人形立ては、パネルの裏側の枠の部分に、太めの釘で止めることにより、パネルを立たせる役割を果たします。このとき、釘を奥まで打ち込まないように注意しましょう。外すときに抜けなくなって大変です。だから釘は最初から途中まで打ち込んでおいて、パネルを止める時にも頭の部分まで打ち込まないようにするのです。人形立ての足の部分（水平の角材）には鉄の重り（鎮・シズという）を乗せて固定します。

人形立てはホールにはプロが作った物があり、普通使わせてもらえますが、学校で使えるように作る必要があるし、自分たちで持ち込んだ道具でできるだけ生徒たちでやるべきです（ホールのスタッフが最初から立ててくれている場合、しゃしゃり出る必要はありませんが……）。

パネルの応用

このようにしてパネルと人形立てを作れるようになっておくと、いろいろな応用ができるようになります。というより、単純にベニヤ一枚（サブロク）のパネル単独ではむしろ使いにくいので、応用することを迫られるようになります。何枚かを組んだり、もっと高さのある物を作ったり、キャスターをつけた可動式の物にしたりすると使いやすくなったりします。

例えば、教室の場面や部屋の場面を作るには、サブロクの上にもう一尺（約三〇センチ）か四五センチ継ぎ足した高さのパネルを作っておくと便利です。作り方は基本的にはサブロクと同じで、ただ、サブロクの一枚分のベニヤと継ぎ足す分のベニヤにまたがって、一本小割を増やさなければいけないので、裏打ちは「目」の字形になります。これを何枚も作っておくと舞台に部屋を作ることができるのです。

水性のツヤ消しペイント

細工したパネルをそのまま使うことは滅多になく、ほとんどの場合何らかの塗料を塗ることになります。板を塗るというとすぐにペンキと考えて単純にペンキを買うと、油性でツヤありということになってしまいますが、これは舞台道具では普通使わないので注意が必要です。理由は、油性は乾くのが遅く、床に垂らしても雑巾で落ちないし、よほど上手にシンナーで洗い流さないと刷毛は一回でダメになってしまいます。そしてツヤがあると舞台では照明を反射してテカってしまいます。とにかく使いにくいのです。

では何が良いかというと、ペンキの場合であれば水性のツヤなしということになります。これだと乾きやすく、刷毛も水でよく洗い流せば使えなくなりません。しかし、これは一般に屋内の壁用の淡い色しか売っていません。他にはもっと安く使える塗料で「ネオカラー」のような水で溶いて使える塗料があります。これだとさまざまな色があるし、もちろん色を混ぜることによっていろいろな色を出すこともできます。

細かい塗り方などは試行錯誤でやっていただくにしても、

パネルを組み合わせて作る舞台例　『グッジョブ！』（江東区立深川第三中学校）

可動式のパネルを多用した舞台例『夕輝〜僕の生きていた証〜』（練馬区立石神井東中学校）

とにかく種類を選ぶことは忘れないようにしてください。

●観客の目で見る

パネルのお話だけで、一回分の原稿になってしまいました。でも、一つ物を作ると、その応用でいろいろな物を作れるようになったりもします。まずは作ってみることです。舞台装置も演技と同じように「何でもあり」。工夫の世界です。ただ、「こう見てもらおう」と勝手に考えても、お客さんがそう思って見てくれなければそれまでなので、観客の目で見るということもお忘れなく。これも、演技と同じです。ただ、顧問は演技をお客さんの目で見ることはできても、舞台装置となるとつい自分が作る側だけに「手前勝手」になってしまいがちです。ぜひ、一回観客として舞台装置を眺めてみることもやってみてください。

1+2月

舞台を良くするための基礎知識
―小道具・音響・照明編

演劇と教育
2014年1+2月号掲載

●大道具以外の作業

前回は大道具について、パネルの作り方をちょっと丁寧に書いてみました。文章で作業の説明をするというのは分かりづらかったかもしれませんが、ぜひ一度トライしてみてください。やってみる価値は十分あるはずです。

でも、スタッフの仕事について大道具だけで終わったのではもったいないので今回は大道具以外について話します。

●小道具について

小道具とは、演技の中での持ち道具のことです。大道具の場合は、日常にある物を舞台に持ち込むことはほとんどしませんが、小道具は、日常使っている物をそのまま舞台に持ち込んでもオーケーです。ゆえに、劇に合わせてすべて本物をそろえれば基本的に良いのですが、そうもいかないものが出てきます。

例えば、高価な物で、簡単に舞台に持ち込めず、買うにも高すぎる物がそれに該当します。今年、『空の村号』（篠原久美子作）の上演で必要だった物の中に、プロ用のビデオカメラがありました。ちょっと古い形の大きめの家庭用ビデオカメラで済ませましたが、電気屋を歩いて、安く売っている中古のプロ級のビデオカメラを探してみたいと思ったものです。

次に、その時ではなかなか手に入らない物もあります。同じ劇で、鯉のぼりのおもちゃというのがありました、三～四月だったら探せばあるのでしょうが、とても売っている時期ではないと思い、作りました。その時には、それらしい布を買ってきて、丸い筒状の鯉のぼりの形の布を作って、柄を描きました。これを紙で作るのと、布で作るのでは舞台では大きな違いです。
また、現実にはないものもあります。それで困ったのは、『銀河鉄道の夜』(深澤直樹作『イリュージョン２００９』)の「鳥捕り」が捕る鷺と雁です。せんべいのようになった鷺や雁が欲しいのですが、そんなもの絶対売っていません。それで全くオリジナルの作り方で、まず新聞紙をくしゃくしゃにして、何となくつぶれた鳥の形っぽいかたまりを作り、それに上質紙を小さく切った物を貼り付けながら、鳥の形にしていきました。糊は、大量にいるので小麦粉を水で溶いて煮て、それを糊として使いました。そうして表面の羽毛は和紙を小さくちぎったものを一枚ずつ貼っていきました。

『銀河鉄道の夜』の
「鳥捕り」が捕る鷺と雁。
紙を貼りあわせて作り上げた

舞台上の小道具では、「少しでも本物に見える」ものや、「本物っぽい存在感がある」ものを用意することが大切でしょう。生徒は、往々にして、例えば宝探しの地図に「宝探しの地図」と文字を書いたり、漫画チックな地図を作ったりすることがあります。これは「うそ」の世界である劇の中に「本当のうそ」を作ってしまうことになります。「うそ」の世界だからこそ、より本物らしいものが必要なのです。

小道具については、禁止事項もあるので要注意です。生火(小道具?)を使うことは厳禁だし、割れ物は使うべきではありません。また、生ものも使わないのが常識となっていますが、作り物ではなかなかリアルな感じが出せない時があります。『銀河鉄道の夜』の時のリンゴはそのたびに買って使いました。『風の歌が聞こえる』(網野友子作)という劇の中には「ステーキの肉」が出てきます。やはりそのたびに牛肉を買い、その肉は小道具として使われた後、家の食卓を飾ることになりました。牛肉はパックの中だし、リンゴもすぐに舞台を汚すものではないので特に問題はないと思いますが、舞台の食卓に日常の形の料理を出すわけにはいきません。いずれにしろ、制限について、事前の確認が必要です。

『かくれんぼ』(末永道裕作)という劇にトイレでカップラーメンを食べる場面があります。カップラーメンはもちろん空の物ですが「演技の見せ所」と思って、配役の生徒に「いかにラーメンを食べているように見えるか」という課題を与え、練習させました。『夕輝』(三好日生作)という作品では、缶コーヒーを開けて飲むシーンがあったので、缶コーヒーのおしりに穴を開けて中身を出し、舞台でタブを開けて飲む振りをしました。

小道具が本物でないからこそ、演技でリアル感を出すなど、小道具を本物っぽくみせるためのさまざまな工夫を楽しむこともできますね。ぜひ小道具一つひとつにも凝ってみてください。

●音響について

音響には、大きく分けて効果音(SE)とBGMの二つがあります。効果音は、その場で似た音を出すやり方もありますが、市販の効果音全集のCDから音を探すのが一般的な方法です。BGMについては、どんな曲をどんな音源から手に入れるか、悩むところです。脚本にはどこでどんな音を使うかということについて、ほとんど書かれてありません。中には曲を指定する脚本もありますがそれは例外でしょう。音響プランをどうするかは、演出次第ということになります。

BGMの音楽の使用許可の問題ですが、脚本と同じように学校演劇ではプロの劇団の場合と違い、基本的にプロの楽曲を使うことで使用料は発生しません。効果音CDの音を流すことは全く自由です。良い音を使って、少しでも舞台効果を高めたいものです。

一般的な劇の場合ですが、オープニングとエンディングは音楽を流しましょう。音楽によって、劇の中身に対する期待感が高まったり、美しい余韻が残ったり、その効果は決して小さくありません。流さない場合は、「意図的に流さないのだな」と思われるような始まり方が欲しいです。例えば、役者が観客にいきなり語りかけるようなオープニングなら、何も音楽の前振りはいらないかもしれません。

次に、台詞にかぶせて大きい音で音楽を流すのはやめましょう。舞台上での生声をできるだけ聞き取りやすくお客に届けることが必要です。特に中学生は、声量や滑舌が十分とはいえない場合が多い中で、さらにそれを音楽で邪魔することはやめましょう。観客の感情を動かしたい場合も、基本は舞台の役の心の動きや台詞によって、観客を感動させましょう。それでも、場面によっては音楽で雰囲気が出て効果がある時もあります。その場合、歌入りの曲はかけないことや、音量も役者の声を邪魔しない範囲に抑えるなど、最大限の配慮を払いましょう。

場面転換で暗転した時には、音楽を流すとよいでしょう。お客さんの気持ちが舞台から離れるのを少しでも防ぎ、また舞台上の転換中の音を消すねらいもあります。

誰でも知っている有名な曲を使うことも要注意です。観客が特定のイメージをその曲に対して持っているので、それを承知で活かす手はあるものの、かなり積極的な演出の意図がない限り、劇に違和感を持たれたり、劇が安っぽく感じられたりしてしまうことがあります。

●照明について

照明についてまず知ってほしいことは、体育館の舞台で上演する時とホールで上演する時とは、設備が違うので照明のやり方も違うということです。

ホールの上演で、照明を知らない場合によくおこることは、ピンスポットの使いすぎです。舞台全体が明るいのに、演技している人物をピンスポットで照らしている劇を見ることがあります。舞台が暗い時でも、舞台の人物を一人浮き立たせて照らしたい時は、普通ピンスポットではなくサスペンションライト（サスと言う）を使います。サスとは、上からつるしたライトで下が丸く照らされるので、役者はその下に立ちます。ピンスポットで照らすと平面的な明かりになるし、よほど上手に扱わないと明かりが揺れてしまい、目障りです。サスは上手に使うととても効果的なので、ぜひ試してみてください。

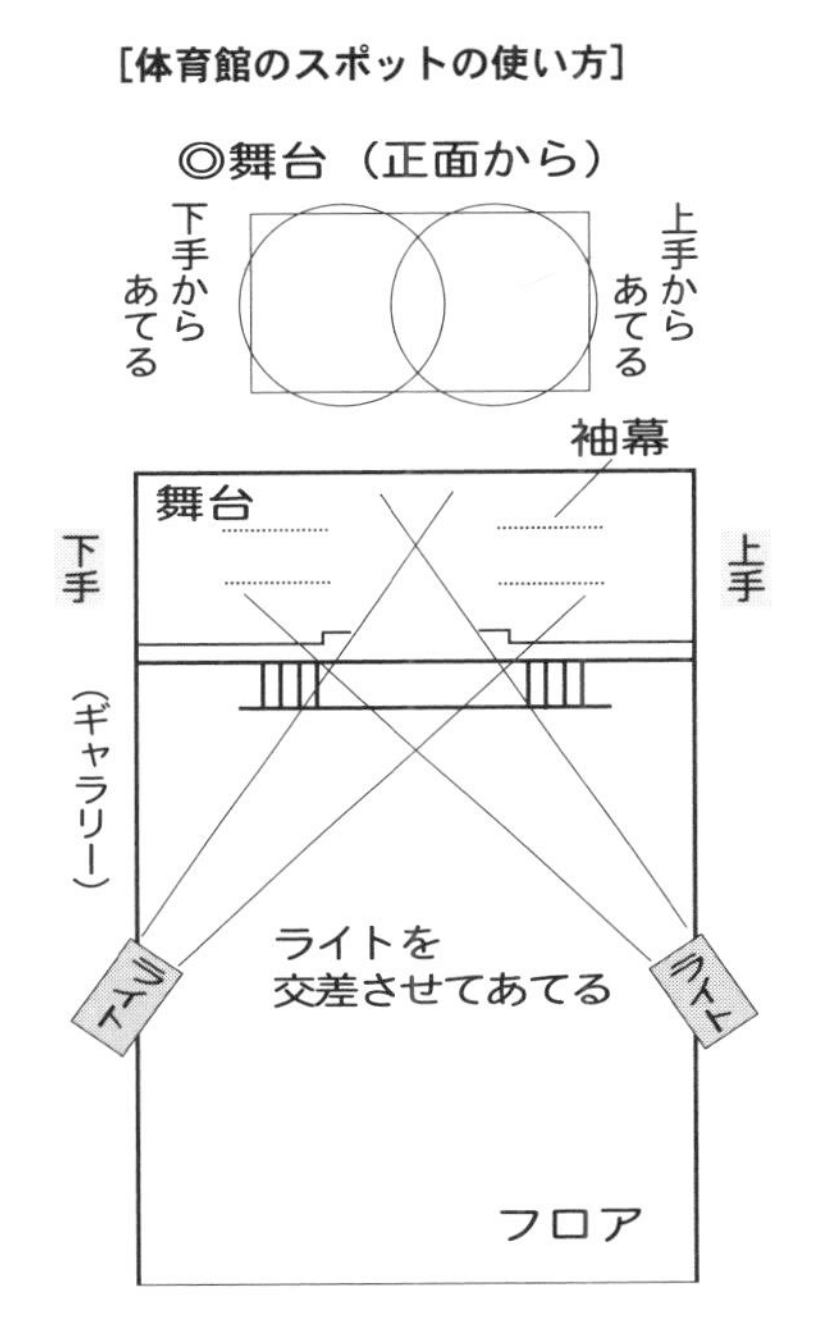

体育館で劇を上演する時、基本的に必要な明かりは全体を照らす明かりです。そのための明かりとして普通舞台の上にボーダーライト（緞帳の後ろに付いている）がありますが、これは舞台の真ん中から後ろぐらいにしか当たりません。そこで前から全体を照らす明かりとして、スポットライトを使う必要があります。上手（舞台に向かって右）と下手（舞台に向かって左）のギャラリーに置いたスポットライトを、上手からは下手、下手からは上手の半分ずつといった感じで照らすのです《図参照》。その場合当てる方向や大きさは固定して、舞台全体を安定して明るくするように照らしましょう。両側一本ずつではなかなか十分な明かりにはならないので、もう一本ずつぐらい（５００ワットの安くて明るいライトがあります）、上手と下手にライトを置いて照らすと、かなり満足な明るさになります。そして、必要な操作は行うとしても、照明による演出効果をあまり求めないことです。体育館は、暗転してもそんなに暗くならないし、操作を一か所でできない以上タイミングがずれてしまうし、それよりは演技者を十分見えるように照らしてあげるということに心を砕きたいものです。

それから、体育館の場合に昔からよくフットライトが使われていました。「前明かり」を確保するためです。しかし、これは下からの明かりなので顔などを自然に照らすことができず、表情が変わって見えたりします。これをホリゾントライトとして使う特別な使い方もありますが、基本的にフットライトは使わない方が良いでしょう。

ホールの照明については、照明の種類などから説明しなければならなくて、この紙面で丁寧な説明は不可能です。ホールの場合は必ず照明のスタッフさんがいて、上手に頼めば、それに応じた照明を作ってくれるものです。さらに知っておいてほしいのは、照明であまりいろんな効果を狙うより、あまり照明をいじらない方が、観ている人にとっては落ち着いて観ていられるということです。たとえば、主人公にとって嬉しければ背景を赤に、暗い気持ちになった時は背景を青にとか変化させてみても、観客はそれで感動はしません。不自然に感じるだけです。あくまで観客が感動するのは、役者の演技や劇のストーリーです。照明はその場を自然に見せたり、特別な世界として見せたりするための補助装置だと思えばよいでしょう。

舞台が大きく変わるポイントに、バックをホリゾント幕にするか、大黒幕にするかということがあります。ホリゾント幕を使うと色を変えられるので、場面に応じて昼にしたり夜にしたり、分かりやすくできますが、大黒幕にした場合には、色を変えることができない代わり、舞台の人物が浮き立って、舞台全体が締まった感じになります。どちらが良いかは劇によって考える必要があります。

最後に、このようなスタッフの仕事については、『ザ・スタッフ』『ザ・スタッフⅡ』(ともに伊藤弘成著/晩成書房)に詳しく載っているので、参考にしてください。

3月
「三年生を送る会」そして演劇部の存在意義

もし初めて演劇部の顧問になったら
もしエン12か月
演劇と教育
2014年3月号掲載

学校行事の「三年生を送る会」

演劇部にとって、三月の一大行事は「三年生を送る会」でしょう。学校で取り組まれる「三年生を送る会」の中に、何とかして演劇部の出番を作りたいものです。そして、演劇部の持てる力を総動員して、劇の楽しさを生徒・教師・保護者にアピールできたら最高です。

「三年生を送る会」でどのような劇を上演するかですが、注意しておきたいことが二つあります。

一つ目は、「送る会」という場は、決して良い条件での上演ではないということです。学校によって状況はさまざまでしょうが、一般的に「送る会」で生徒たちは劇を真剣に観ようというより「その場を楽しもう」という気分になっています。その雰囲気の中でシリアスな内容の劇を味わってもらおうと思っても、そうした舞台に食いついて観てくれる生徒の割合は限られるでしょう。それでなくても「送る会」で演劇を観たいと思う生徒の割合はそう多くはないかもしれません。だから、そんな生徒たちに合う劇は、どちらかと言えば明るく楽しい雰囲気を持っていたり、舞台と客席が一緒になって楽しめるようなものということになります。

二つ目の注意点は、上演時間は短めが良いということです。理由は一つ目と同じで、生徒に長い間堪え忍ばせることは禁物です。中学校劇の標準上演時間は東京の場合四十五分ですが、それでは少し長いと思います。三十分以内に納めておきたいものです。

三年生を送る会で大成功を収めた例を一つ紹介しましょう。劇の題名は『謎の大捜査線』（藤原正文作）です。元は青雲書房の『中学校の二十一世紀』に入っていた作品ですが、その後改めて国土社の『中学校楽しい劇脚本集』の第二巻にも収められた脚本です。内容は、小さな銀行に強盗が入ったところ、女子行員に捕まってしまい、逆に女子行員が自分たちを悲劇のヒロインとして売り込むネタにするというものです。ラストにはさらにどんでん返しがあるのですが、なぜこの劇が大成功したかというと、この劇には、銀行に道を聞きに入る人や機動隊員、カメラマン他、さまざまな脇役が登場するので、三学年の教師たちに脇役を割り振って総出演してもらったのです。

三年生たちは学年の教師たちが舞台に出てくるたびに大喜びです。中でも圧巻だったのは、中年の体格の良い体育の女性教師が演じた、強盗のかつての恋人役でした。この「かつての恋人」は女子行員を人質にとって立てこもっている（と信じている）強盗に対して、「私の知っているあなたはそんな人じゃないわ」とか「本当はあなたが好きだったの」と、切々と訴えるのですが、強盗は立てこもっているはずの銀行の中で女子行員によって「お前なんか嫌いだ」と言わされるはめになり、その恋人はよよと泣き崩れるのです。泣き崩れた恋人は他の人に抱きかかえられるように舞台を去って行くのですが、会場は爆笑の嵐でした。

この作品は上演時間の長さ（三〇分程度）でも、このような演出ができるという意味でも「送る会」にはうってつけでしょう。

●演劇部内の「三年生を送る会」

三月は演劇部でも「三年生を送る会」が行われるものです。部内の「送る会」は生徒の自主性に任せて、生徒が企画・運営をやっているところが多いようです。また、保護者が関わって、パーティー形式で行うところもあるようです。

プログラムとしては、挨拶があったり、在校生から卒業生へのプレゼント（色紙など）があったり、また、卒業生から在校生へのプレゼント（演劇部が活動する部屋に貼ったりしています）があったり。それはどこの部でも共通ですが、演劇部であるからには、その中に在校生の劇や卒業生の劇をいれたいものです。

その際、いろいろな劇のスタイルが考えられます。私の経験からいくつか紹介しましょう。即興劇で楽しめる部活であれば、それをやってみるとかなり楽しめます。他にもたとえば、卒業生が三年間で演じてきた劇の内容をごちゃ混ぜにして脚本を作り、在校生が卒業生に演じてみせたこともあります。ストーリーとしてはメチャメチャでもどの劇のどの部分から取ったということが分かるし、三年間の部活動のことを思い起こさせる内容になるので、みんなで楽しめるとともに卒業生への素敵なプレゼントにもなりました。

また、卒業する三年生がこの会に向けて劇をつくって出したこともあります。在校生にとって、プログラムが豊かになって心強いし、なにより三年生が自分たちのために演じてくれるというのは格別にうれしいものです。練習時間は少ないでしょうが、受験が終わって自由になった三年生にはやりがいのあることです。練習不足で途中台詞がつながらなかったり、本人たちは苦労して思うようにいかない上演だったりすることもありますが、送る会の中でとても印象的な出し物となっていました。

最後は、生徒同士の贈る言葉、別れの言葉で送る生徒・送られる生徒ともに涙、涙となりますが、それも今までの温かい人間関係と会全体の豊かなプログラムがあってこそ生まれる涙です。演劇部三年間の集大成と言ってよい瞬間だと思います。

【上】『謎の大捜査線』
【下】東京・練馬区立石神井東中学校演劇部

演劇部顧問の幸せ

卒業していく生徒が、「演劇部に入って、活動を続けて良かったです」と言って卒業していく時は、顧問として「努力して良かった」と、教師としての幸せを感じるひと時でしょう。

顧問は、三年間演劇部で生徒と関わってくる中で、必ずと言ってよいほど生徒とぶつかったり、お互い疑心暗鬼になったり（特に役決めのときなどそうですが）、泣かれたり、校則違反やいじめを叱らなければいけなかったり、辛い思いをすることは山ほどあります。

そんな中で、演劇部の顧問として活動を続けていく原動力となるものは、生徒と共に考えながら、共に苦労しながら劇をつくっていくという楽しさであり喜びだと思います。生徒と共にいる時間は、生徒から元気をもらい、生徒から発想をもらう時間でもあります。その時間こそが顧問にとっては、かけがえのない宝になることでしょう。

以前よりそうだったのですが、最近はますます教師の事務・雑用・会議等が増えて、部活動の活動に付けない顧問が増えていると思います。やむを得ない場合ももちろん多いのですが、あくまで時間の使い方はその教師の心の中の優先順位によって相当変わってきます。もし自分で事務・雑用を優先すれば、部活動には顔を出せないのは明らかです。その中でどれだけ部活動を大切にし、活動に顔を出す時間を作り出すかは最も大切なことではないでしょうか。時間をかけずに、良い劇をつくったり、生徒とのつながりをつくったりする方法などはありません。

●演劇部の望ましい姿と存在意義

演劇部にはさまざまなタイプの生徒が入部してきます。演劇が好きで、スターを目指したり、舞台で主役を演じたいと思っている生徒ばかりが入ってくるわけではありません。むしろ、内気で自分を出すことができなかったり、舞台でどのように演じればいいかわからず立ち往生してしまうようなタイプの生徒が意外と多く入部するのです。

そんな中には場面緘黙の生徒たちもいます。その生徒たちはなかなか大きな声は出せないし、のびのびと演じることも難しいのです。その生徒たちは、いったい何を求めて演劇部に入部してくるのでしょうか？　おそらく、その多くは演劇部に居場所を求めてやってくるのです。学校で、クラスで、居場所を見つけられない生徒たちが、少しほっとできる場所の一つが演劇部の世界なのです。そんな生徒の一人が、夏の合宿の最後の晩、長い沈黙のあと、やっと一言「演劇部に入っていて良かったです」と言ったとき、部員全員が感動して拍手しました。また、部活内でも本当に声を発することのなかった生徒が簡単なエチュードをやったときスラスラと台詞を発してみんなでびっくりしたこともありました。その学年の演劇部の生徒で高校でも演劇部に入った子は少なかったのに、その生徒は演劇部に入りました。きっとこの生徒にとって、演劇部の空間は、砂漠の中のオアシスのような安心できるスペースだったのでしょう。

だから、演劇部には、競争主義や厳しい規律ではみ出した部員をそぎ落としていく運営は成り立ちません。むしろ、はみ出しかける生徒の内なる声に耳を傾けて手を差し伸べ、部員全員が我がこととして理解し合い、互いに助け合うのが演劇部の望ましい姿でしょう。そんな中で、自分を出しても大丈夫だと思えた時、生徒たちは初めて自由になり、自分を解放して演技ができるのです。それは、演劇部の中だけに留まらず、生徒たちがこれから生きていくうえでの貴重な財産となることでしょう。それが演劇部の本当の存在意義だと思います。

II

1 誰でも演劇の指導はできる

演劇と教育
2014年4月号掲載

●続・もしエンって…？

前章「もしエン12か月～もし初めて演劇部の顧問になったら」では、一年間の演劇部の活動の中からポイントをひととおりピックアップして説明してきました。これからは今までの説明で抜けた部分を補ったり、視点を変えた演劇部の活動についてのポイントを書いていければと思います。

また、ここまで、どちらかと言えば一般的な知識をまとめようと書いてきましたが、この「続・もしエン」ではさらに私自身の個人的な経験や演劇の見方にも深入りして書いてみようかと思います。

もう一度、この「もしエン～もし初めて演劇部の顧問になったら」を書き始めた原点に戻りましょう。それは、自分が演劇部の顧問を始めたとき、演劇についてまるで素人だったために、いろいろと困ったことがあったということです。だから、同じように、演劇の知識や経験を持たないで顧問になった方が困ることについて、何を知っておけば良いのか、分かりやすく伝えたいと思ったのです。「私は演劇をやったことがないし、知らないからできない」と言う人がたくさんいます。知らないと困ることは確かにありますす。しかし、それは一つひとつ覚えていけばよいことであって、「だからできない」ということは決してありません。その人たちに「演劇は何も知らなくてもできますよ」と言いたかったのです。演劇で本当に必要なのは細かい技術的なものではないはずだからです。

それを説明する題材として、昔の私の経験からお話ししましょう。

●『二十二歳の出会い』文化祭での楽しい演劇指導

私は演劇部を持つ前にたった一回だけ、演劇の指導をしたことがありました。それは、教員になって四年目のことです。その学校は大規模校で、一学年が十クラスありました。秋には大々的に文化祭が行われ、各クラスが展示の部か舞台の部のどちらかを選んで参加しました。

私は二度目の一年生を担任していましたが、なぜかその年、文化祭の実行委員長になりました。そのクラスは、やんちゃな生徒がいっぱいいるクラスでしたが、私も気合いを入れてクラス経営していたので、クラスは楽しい雰囲気に溢れていました。毎日個人ノートを出させてそれを読んで帰りには返し、それを元に毎日学級通信も出していました。そんなクラスだったからでしょう。生徒の希望により、クラスとして舞台の部に参加し、劇をやることになりました。

もう三十年も前のことですから、細かいことはあまり覚えていませんが、生徒たちと給食の時などに「どんなのやりたい？」と話す中で、自然に決まってきたのが、「今のこのクラスが十年後にクラス会で集まった」という舞台の設定でした。題名は『二十二歳の出会い』です。そのクラスで起こった出来事をたくさんエピソードとして盛り込んでお話を組み立てました。例えば、そのクラスでは給食の時に牛乳の速飲み競争をしましたが、ある目立ちたがりの男子が飲んでいる途中でむせて牛乳を吹き出したことがありました。それが舞台上のクラス会で話題にのぼり、そこでもやってみようということになって、同じようにやったらやっぱり吹いてしまいます（注・これは、少なくとも中学校の発表会では舞台を濡らしてしまうので厳禁です。念のため）。

脚本を書くのはクラスの女子の一人に頼みました。その子は、物語を書くのが好きで、個人ノートにいつも書いてくれていたのです。そして、さびの部分の台詞だけは空けておいてもらって私が書きました。

それはこんな部分でのこんな台詞です。クラス会の最中に、中卒で働いている男が、大学に行った男（実は、その役は牛乳を吐いた目立ちたがり屋の子ですが）に馬鹿にされて、殴りかかります。すると「やめろ！」と止めに入った別の中卒の男が、「自分も中卒であることに劣等感を感じたときもあるけど、中学を出てすぐに社会に出れば、高校や大学に行かない分、早くから職人になるために腕を磨く修行ができるんだ。そう思ってからは、自分が中卒であることに対して劣等感を感じることはなくなったんだ」と言うのです。

この劇は二十五分ほどの劇で、台詞の言い方の指導などほとんどしていない素朴な演技でしたが、大人気を博し、文化祭舞台の部で一～三年全体での最優秀作品になりました。

今になってみれば、若いとはいえずいぶん気楽に劇を作ったものです。しかし、少なくともこの劇は「楽しい劇づくりだった」という意味だけ考えれば今までの経験でも指折りのものでした。実際、劇づくりの原点は、みんなで「こんな劇やってみたい」という発想から出発してそれを表現できれば、それで十分なはずです。そこには、照明の技術も、音響も、脚本に関する原則のようなものも、何もなくて良いのです。

●演劇部だって同じこと

演劇部の顧問になったとして、こんなところから出発できればきっと生徒と一緒にかけがえのない思い出を作ることができる。そんなふうにも思います。演劇部の顧問になったときは、クラス劇の指導と勝手の違うことは当然出てきます。でも、もしあなたが演劇部のない学校にいて、「演劇部があったら入りたい」と思っている生徒たちに頼まれて演劇部を作ったとしたらどうでしょう。演劇の技術的なことは何も知らなくても、その子たちと一緒に、作りたいままに劇をつくってみれば良いのではないでしょうか？　演劇部のベテラン顧問から見ればメチャメチャだと思われるようなことをたくさんやって、それでも楽しいと思えるように、思ったままの劇づくりを、生徒と一緒にやれば良いのではないでしょうか。

スポーツだったらそうはいきません。ルールを知らなければ試合はできないし、それなりの練習方法を知らなければ強くなれないし、試合に出れば無残に負けるばかりです。結果が勝ち負けで出るのがスポーツです。

演劇は違います。演劇に勝ち負けはありません。コンクール形式の大会も中にはありますが、本来、演劇には優劣をつけるのは非常に問題が多いのです。そもそも勝ち負けのためにやるものではないはずのものです。そこがスポーツと違うところです。技術的な面やテーマのことなど、さまざまな問題点や改善点があれば、それを指摘してもらうのが発表会ですから、それはそれでしっかり学び、生かしていけば良いのです。だから私は、何も知らずに生徒たちと演劇部を開いて、生徒と一緒に考え、生徒と一緒に楽しんで劇をつくれば、演劇部顧問として十分な活動ができると思っています。

●誰でも演劇部の顧問になれる！ けど…

今回は、「演劇に詳しくなくても演劇部の顧問になれる」ということでお話をしています。では、誰でも演劇部の顧問になれるか？　答えはイエス！　なれます！　では、演劇部の顧問になるのは誰でも良いかというと、それは違います。つまり、できるできないの問題はなくても、向き不向きの問題はあると思うのです。結論として言いますが、生徒とふれ合い、語り合うことが嫌いな人や、生徒を形で扱う人、すぐに生徒を切り捨てる人、部活に時間を使おうと

丸くなってミーティング――余計な話も部活の中では大切だ

しない人、このような人は、演劇部の顧問に向いているとは言えません。

演劇部顧問に求められる資質はこの反対の人です。生徒とのふれ合い、語り合いを大事に考える人、生徒を形でなくあくまで人間対人間として接していこうとする人、生徒を簡単に切り捨てずに何とか救っていく道を探る人、そして、部活動の時間を優先的に確保しようとする人です。

今の学校はなかなか教師が生徒にゆっくり接している時間を与えてくれません。特に若い教師には「これでもか」というほど、新採研や二年時、三年次研修等、次々に襲いかかってくる研修に自由な時間は奪われます。その中で今述べたような人であることを強いられたら、とてもやっていられないと思うかもしれません。でも、絶対忘れてはいけないのが、教師は生身の人間を扱うのが本業だということです。生徒と接して、生徒を育てることが仕事であって、お役所の求める書類を整えることが本来の仕事ではないのです。事務作業を無視することはできないにせよ、そのために生徒と接する時間を取ろうとしないとすれば、それは本末転倒です。完璧にいつも部活に時間を取れるなんていうことはあり得ません。生活指導だってあるし、教材研究だって、それだけで精一杯という人もいるでしょう。教員というのは忙しい仕事です。子どものために精一杯の仕事をすればするほど、事務や会議に時間を取られるというジレンマに陥ったりもします。教員の仕事の中に、生徒との本当の心の交流が生まれにくい現実がたくさんあります。だからこそ、演劇部には逆に時間を使うことが必要です。

今、演劇部に来る生徒は、器用で演技をする素質に恵まれた子どもというわけではありません。むしろ、子どもたちの社会で生きにくい、不器用な子どもたちがたくさん集まってくるのが演劇部です。だから、そこで形でなく人と人とのふれ合える空間を作ってあげることが必要なのです。

●部員との関わりを深める活動例

部員との関わりを深める意味で演劇部の運営に役立つと思われるポイントを二つ、あげておきましょう。

まず第一に、頻繁にミーティングを開きましょう。これからの活動プランについて説明したり相談するのが中心ですが、部活内に問題が起こっていると感じたとき、人間関係が上手くいってないと感じたとき、ミーティングで部員全員の交流を図り、同じものを共有することによって、またはみんなが正しい方向で努力する障害を取り除くことによって、安心して活動できる空間を作りましょう。部員が演劇部内で安心できること、それが部員にとって演劇部の価値となり、同時に、生徒が安心して自分を出して演技できる条件ともなるのです。現在、我が校の演劇部では、基礎練習が終わるととりあえず丸くなって座った状態で顧問の私が来るのを待っています。部長が呼びに来ると急いで行くのですが、その間に部員同士がする余計な話も部活の中では大切なことだと感じています。

第二に、できるだけ劇を見せましょう。高い費用のかかるものは無理です。学校に格安の劇案内が来ることもあるし、学生演劇なら基本無料で見ることができます。舞台を見ることは劇を演じる以上に勉強になることも少なくありません。私は、現在の地区大会が二日間の開催なので、出演ではない日も全員参加で見学に連れて行くし、都の大会もできるだけ連れて行って見せるようにしています。かつては参加校以外あまり中学生が見学に来なかった都大会ですが、最近はかなり多くの中学生で賑わうようになってきました。本当に良い傾向です。生徒を連れて行く顧問がいるとまた別の顧問も触発されて生徒を連れて行くようになります。もちろん、大会の運営担当であれば開催日には参加校全校の見学を義務づけたり、呼びかけたりなどの努力をすべきでしょう。

このように並べていると、演劇部の顧問としてやるべきことややれるはずのことが実はたくさんあるのだと分かってくると思います。それをいとわずにできることこそが、最も基本的な演劇部顧問に求められる資質ではないかと、私は考えています。

2 『空の村号』への挑戦

演劇と教育 2014年5月号掲載

評判の良かった、『空の村号』の上演

昨年度、私の学校の演劇部では、今話題作となっている『空の村号』を取り上げて上演し、私の指導した劇としてかつてない好評を得ました。また、その結果として今年十二月に沖縄で行われる全国中学校総合文化祭に、東京都代表として選出されるという、大変名誉な……とはいえ、身に余る大役を引き受けることともなりました。

これは、篠原久美子さんの書かれた『空の村号』という脚本が素晴らしかったこと、それから我が演劇部の諸君が大変生き生きした演技を見せてくれたことは言うまでもありませんが、私なりに一つひとつ試行錯誤を繰り返し、その積み上げの結果が評価されたものとも言って良いと思っています。その一つひとつを語ることで、読まれた方に少しでも参考になることがあればと、今回はその説明をしてみたいと思います。

『空の村号』を上演した第14回全国中学校総合文化祭沖縄大会の会場（浦添市立てだこホール）前で

『空の村号』との出会い

『空の村号』は劇作家の篠原久美子さんが日本児童・青少年演劇劇団協同組合（児演協）に依頼されて書き下ろした、震災の被害を扱った劇（ドラマリーディング）です。

主人公の「空」君は小学五年生、考えは浅いけど、元気いっぱいの男の子。その妹の「海」ちゃんはデリケートで頭の良い小学校四年生。仲の良いお父さんとお母さんは酪農で家族を支える一家です。そんな福島県の何でもない酪農家を襲ったのが原発事故によって降りかかる放射能でした。家族は牛

乳も野菜も売れなくなり、生活は追い込まれていきます。そんな中、「自分が働かなくてももうけられる」という話から映画監督を目指した空君は、原発事故の取材で訪れたドキュメンタリー映画の監督と親しくなり、自分でも映画を撮ってみようと思います。その筋書きはファンタジー溢れる冒険物語。しかし、そんな映画の中にさえ、追い込まれていく子どもたちの現実が現れてしまうのです。

この劇の魅力は一度見た人、読んだ人なら分かるでしょう。大震災による原発問題に鋭く迫りながら決してじめじめした暗さはなく、魅力ある子どもの姿に楽しく笑いながら観ているうちに、福島の現実の厳しさとその世界に翻弄されていく子どもの姿が浮かび上がって、強い印象を残す傑作です。

この劇に出会ったのは、昨年の夏が近づいたときの、全劇研（全国演劇教育研究集会）のオープニングの取り組みでした。演教連（日本演劇教育連盟）の正嘉昭さんが中心になって『空の村号』の冒頭の一部分を演じたのでした。この取り組みのための最初の読み合わせの時に私が空君役を引き受けたことは「運命の出会い」と言っても良いかもしれません。

●「また震災ネタ？」

この劇に出会ってから、秋の大会の劇として取り上げたいと思ってぼんやりと考える日々が続きます。後に書くようにこの劇を舞台で取り上げるには大きな問題があったからです。でも、とりあえず、生徒たちに読ませてみることにしました。ちょうど八月のお盆の時期に演劇部の合宿を組んでいたので、その中で読み合わせをさせてみました。七十分の脚本を中学生が初めて読むのには二時間かかりました。反応としては一年生にはかなり好評でしたが、二・三年生にはあまりよくありません。なぜなら、前年度に上演して大好評を得た作品の『もしイタ』（畑澤聖悟・作）から始まって、次は日本演劇教育連盟の脚本募集で入選したやはり震災をテーマに扱った『大地讃頌―２０１１―』（小林円佳・作）、そしてこれを上演するとなると三本連続で「震災ネタ」だったからです。三本続けてでは、「また震災ネタかよ」と言われる、というのです。確かに震災関連ばかり続けていることになります。しかし、かと言って、諦めるにはあまりにテーマ性といい、作品の斬新さといい、惜しい作品です。結局、日にちがたって他のめぼしい候補作がない中でこの作品に絞られていくこととなりました。

●ドラマリーディングから舞台劇へ

では、どのような大きな問題があったのか？　それは、「ドラマリーディング」という形式で書かれたものを、舞台劇として組み立てることでした。そのためのさまざまな工夫を、試行錯誤の繰り返しで舞台化していったのです。で

【上】黒子がテレビの枠を持った「セツコの部屋」の画面(左)と、それを見る家族(右)　【中】劇中劇の場面、6つの箱を使ったスペース・ソラ号　【下】悪の帝王ジシン星人ガガゾゾボンバー(右)との戦いの場

きるだけ簡潔に結論だけ説明していきたいと思います。

○舞台転換の問題

最も大きな問題となるのは、「ドラマリーディング」、いわゆる朗読劇の場合、さまざまな場面が自由に登場するということです。舞台劇は普通、転換には道具の出し入れが必要で、また観客に「どのような場面か」を知らせる必要があります。その舞台のさばき方については、昨年度上演した高校演劇『もしイタ』が大変参考になりましたが、基本素舞台で、明かりの変化もなく、台詞の内容や登場人物が変わるだけで場面は変わったことになります。例えば、二人が会話しているところから一人が観客への語りを始め、会話していたもう一人が退場すればその場面は終わったことになるし、二人が会話しているところに第三者が入ってきて一人に語りかけ、もう一人が舞台からハケれば、自然に次の場面に転換したことになります。そのパターンでの転換の場合、合図は次の場面の最初の台詞となります。

○会話と語り

舞台劇の場合、普通、劇の内容は会話

の中で客に知らされるもので、語り手が説明することは避けるのが普通です。しかしこの『空の村号』では、説明の語りがかなりふんだんに登場します。そうしないと場面が分からないからです。ほとんどは空君による語りですが、これも作るに当たってはどうやって処理するか考えたところです。今まで会話していた空君が次の瞬間には語り手となって観客に語るわけですから、それを考えると最初は空君を複数用意して、「登場人物の空君」と「語り手の空君」を分けようと思っていたくらいです。結果的に空君は一人になり、多少の明かりの変化（サスの使用）によって全く不自然さを感じさせないものになりました。

○舞台の小道具の問題

今回は小道具を使うことにしました。最も便利に多用したのは高さ四十センチ、底面三十センチ角の木の箱です。基本的な利用法は椅子です。無機的な形なので、どの場面の椅子に利用してもおかしくありません。また、空君が作る映画のシーンでは、「宇宙星人ガガゾゾボンバー」が登場しますが、少しでも巨大さを表すために箱を二つ置いてその上に乗るようにしたり、「宇宙海賊船スペース・空号」を表すのに箱を六個、船の座席や操縦器具を表す形に置いたりしました。これがあるだけで、道具がない素舞台とは大違いです。そして、それらの出し入れにはふんだんに黒子を投入しました。とにかく、細かな道具の出し入れが多いので、その道具の出し入れによって舞台の流れを一瞬たりとも途切れさせない事が大事でした。だから本一冊、靴一足、カメラ一つでも、必ず黒子が登場して役者に手渡したり、必要な位置に置いたりするのです。これは、そこだけ見れば不自然なことであっても、劇の中での約束事として「本当は本人が取ってくるのだけどそれを黒子によって省略する」という、この劇での約束事が成立すれば不自然ではなくなるし、逆に手間をかけて取りに行くと不自然になったりします。

そんな、小道具を出し入れする中で一つ、今回でもっともアイディアを用いたのは、テレビの〝セツコの部屋〟の場面です。本当に短い場面ですが、テレビの中の場面とそれを見る空君一家が舞台に同時に存在するとき、テレビの枠を黒子が持ち込んで、テレビの中の人物の前に置いたのです。そしてテレビを見る人物たちはそのテレビと全く別の方向を向いて、実はその枠の中を見ていることになるのです。

○台詞のカットの問題

本来のドラマリーディング、『空の村号』は七十分の劇です。それをカットして、東京都中学校演劇の基準の四十五分間劇にするわけですが、その際に厳しいのが、長台詞が多いことでした。良く出来た脚本ほど、カットするのは困難です。前年度の『もしイタ』もそうでしたが、一つ台詞をカットすれば必ず劇で伝えたいことが一つ足りなくなります。生徒は「え？　これをカットしたらこの説明ができなくなります」と、大義名分を振りかざしてカットすることに抵抗するのですが、それは他の台詞をカットしても同じ事。とにかく現実は厳しいのです。そして『空の村号』で特に厳しかったのは、長台詞が多く、そこに劇の大切な伝えたいことがいっぱい詰まっていることです。それらの台詞をそのまま舞台劇に残していった場合、極めて動きのない劇になりかねません。だから、子どもたちののびのび動けそうな部分は極力残すようにして、できるだけ長台詞を減らすようにカットしていきます。それでも、作者の篠原さんからは「遊びの部分がたくさんカットされて残念」と言われてしまいました。作者から見ればいろいろと書いたものが削られてしまうので、当然の感覚だと思います。とにかく、骨組みを残しただけのようでも、四十五分はあっという間です。それでも、今回の場合、空君のファンタジー映画作りの部分だけはノーカットで残しました。最も子どもが生き生き演じられる、印象的な部分だからです。結果として、脚本のアレンジは、合評会で好評を得ることができました。

●上演と配役

この劇が好評を得たのは、言うまでもなく、脚本が良かっただけではなく、部員たちによる生き生きした演技があったからこそです。

主人公の空君、劇中劇で悪の帝王ガガゾゾボンバーを演じる剛役の生徒など、その役を演じるのにまさにぴったりの部員がいたし、四人出てくる大人の男役は全員男子が演じました。そのような人材がちょうどこの劇を作るのにぴったり当てはまったのも大きな事です。

また、三人の小学男子役は最初から女子に決めていましたが、絶対に守らせたいことは男子役を演じる時には女子の髪を短くさせることです。女子が髪を切りたがらず、長い髪をまとめて後ろに垂らしたり、シャツの中に入れたりすることをよく見ますが、演じた後「良かった」と言ってほしいのであれば切るべきだし切らせるべきです。伸ばしたまま出るのであれば、「男に見えなかった」とか「髪の毛が残念だった」と言われることを覚悟するべきです。区の大会の時には私の演劇部の三人について「髪を短くしたのは見事だった」と講師のコメントで言われました。このような一つひとつについてこだわっていくことも大切なことだし、そこに目をつぶって上演した場合にはやはり見た人からそこを指摘されるものです。「ああ、そこはやはりクリアしておくべきだった」と感じることができるだけ少なくなるよう、頑張っておきたいものです。

3 ビデオから見た演劇

演劇と教育 2014年6月号掲載

私はよく「都大会のビデオを世界一持っている人間だ」と自慢をします。私が持っている最初の都大会のビデオは私が初めて都大会に劇を出した一九九〇（平成2）年ですから、今から二十四年前になります。それ以来、全日程とはいきませんが、毎年行ったときには必ず、上演された劇をビデオに収めてきました。劇はその場にいないと本当の良さは分からないし、一期一会の良さが劇の良さかもしれません。それでも、私にとっては素晴らしい劇がもう二度と見られないものとして消え去っていくのは残念で、自然に取っておきたいと思った結果が、今では膨大な量のビデオとなって残っています。

現在は都中劇研の録画担当として全作品のビデオを撮る形になっていますが、先日は、せっかく録画するビデオをもっと活かそうというわけで、都大会のビデオを使った研究会を開きました。四日間の都大会全部を見に行くことは多くの顧問にとっては難しいことなので、四日間の上演劇の中から参考になりそうな劇のビデオを流しながら、どんなところが工夫されているか、どんなところが見所か、解説を加えました。お陰様で評判は良かったようです。

●まずは、しっかりした声を出す

ビデオを撮っていて、これだけはダメだと思うのは、声の大きさと滑舌の関係で何を言っているか分からない劇です。今までずっと撮っている中でたった一回だけ、途中でビデオカメラのスイッチを切ってしまったことがありました。その劇では、舞台で役者がしゃべっていても、全くホールのお客を意識していないかのように、普通の会話のような大きさの声で台詞をしゃべっていました。よく、入部したての生徒ではそういう声しか出せないことはあります。まるで、そのまま「声を大きくしよう」という意識を持たないで、そのための訓練もしないままで舞台に出てきてしまったという発声でした。そんなことのないように、声出しはしっかりやらせましょう。

舞台上での相手に声をしっかり届かせれば、自然にお客には声が届くと聞いたことがありますが、私は、それだけで十分だとは思いません。少なくとも中学生は大人とは違います。しっかり口を動かした聞き取りやすい発声と、丹田（おへその数センチ奥のあたり）に力を込めた腰のある声が必要です。もちろんそれは叫ぶ声ではないし、ひたすら張り上げる声でもありません。無理なく、しっかりと声を出すには、まずは大きな声で話すことに慣れるということが必要でしょう。毎日の発声練習が必要なのはもちろんですが、その他例えば、教室の両側に五人ずつ、二メートルぐらいずつの間隔で並んで立って、お互い向かい合う人を確認し、何か話題を決めて一斉に会話をすれば良いでしょう。お互いが近づくことは禁止です。なかなか相手の声が聞き取れないので、どうしても大きな声を出してしゃべろうとします。それでも会話が成り立ちにくいので、口を大きく開けて、口の動きも利用して相手に伝えようとします。そんなことをする中で、相手に声を届けるということを覚えてゆくものです。

●近づきたいときに近づかない

私が最初に都の大会に劇を上演したその日、とんでもなく素晴らしい劇上演に出会いました。三日間の都大会の中で、偶然同じ日に出会えたので、その劇を観られたのはラッキーだったとしかいいようがありません。それが、栗山宏先生（故人）の指導による世田谷区立八幡中学校の『お猿の学校』（大久保寛作）でした。この作品は私にとって永遠の金字塔です。それ以来、私は何度となく栗山先生の劇を観て、ビデオに収めました。都大会だけではなく、決して近くはない世田谷の大会に出向いて行って撮ったことも何回かあります。

栗山先生の劇は一つ一つさまざまな意味で演出の勉強になりましたが、そんな中でビデオ撮りに関係するとても大きな栗山演出の特徴を感じていました。それは、栗山先生の劇を撮っているとなかなか登場人物に画面を寄せていけない、つまり、アップにできないのです。それは、舞台の一部に登場人物が固まらないということです。

栗山先生は「近づきたいときに劇では近づいてはいけない。そこは芝居のウソなんだ。」と言われていましたが、栗山先生の劇では舞台で二人だけが会話をするときでも、その二人は必ずといって良いほど一定以上の距離を置くようにしていました。

私は、よく舞台の会話では観客との関係を三角形でイメージします〈図参照〉。つまり、舞台上で会話をする二人と観客席の観客一人ひとりとの間に生まれる三角形です。その三角形ができるだけ細長い三角形にならないように、舞台上の二人の作る一辺があまり短くならないようにするのです。その三角形が広くなっていれば、舞台上の会話がもう一つの頂点である観客に届きやすくなると思うのです。

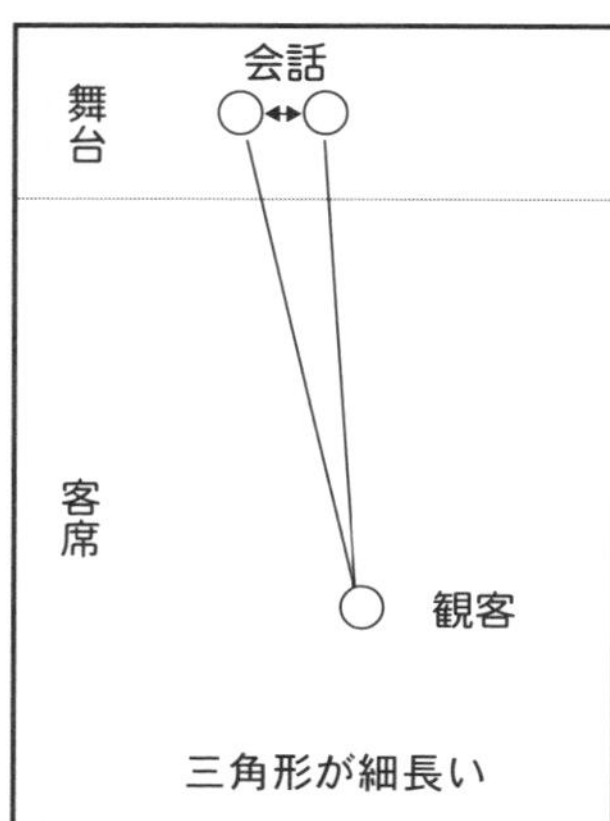

登場人物と観客でできる三角形のイメージ

●上手に前を向く

中学校演劇ではしばしばですが、この原稿を書いている当日観てきたある商業演劇でも、「前向き演技」が気になったことがあります。商業演劇はプロですから、もちろん(?)舞台上でお互いが交流をもって演技することができていました。しかし、たった一か所、不自然に客席を向いて(つまり、絶対にそれをしゃべるときは相手に向いてしゃべるだろうと思うのに、客席を向いて)台詞を言ったところがありました。それだけであっても不自然な前向き演技は気になりました。中学校演劇ではもっともっと前向き演技が気になる学校がたくさんあります。決して前を向いてはいけないということではないのです。でも、舞台上で相手に投げるべき台詞を観客に投げると、それは「不自然な前向き演技」と、感じてしまいます。

逆に、もっと前を向いてほしい場合もあります。役者が常に横にいる相手に向いていて、観客席に顔を向けない場合です。そんなときは、ビデオで撮っていて、「早く、ちょっとだけでもこっちを向いてくれ!」と言いたくなります。役者はたとえ相手が自分より舞台の奥にいても、基本、観客に顔を見せる工夫が必要です。その工夫には、横向きでも観客側の足を引いて立つとか、独り言のように相手にそっぽを向く形で観客に向いて言える台詞を探すとか、いろいろな方法があります。しかし、それとは別に、横を向きたがってしまう生徒は観客を向くことに対して安心感を持っていない、観客に向くことが不安な場合があると思います。

手前味噌ですが、今回演劇部で上演した『空の村号』の「空」役を演じた子が、あまり教えなくても上手に相手を向いたり客席に向いたり、自然な動きの中で方向を使い分けていたので感心して褒めました。ところが、その生徒はそのことを意識していなかったようです。「交流」と「観客を無視しない」ことを心得ていれば自然にできるようになることなのかもしれません。

写真1

写真2

写真3

安藤俊弥さんの指導による『あゆみ』
（写真１・２）［撮影＝小山内徳夫］、（写真３）［録画画面より］

また、今年の研究会で特に大きく取り上げた安藤俊弥さんの指導による『あゆみ』（柴幸男作・畑澤聖悟演出の青森中央高校版が基になっている）では、（これは劇の構造としてですが）基本的に全て横向きで舞台上を上手から下手へ移動しながら演じている中で、後半、あゆみ（とその夫）が三回、歩みを止めて正面を向く印象的な場面がありました。その一回目は老夫婦の二人（一人は杖をついて）が立って前を向きます〈写真１〉。二回目は夫が車いすに乗っていて、口を半分開け、顔の表情から認知症と分かる老人となっています〈写真２〉。そして三回目はあゆみが一人です〈写真３〉。その三回の中で、人生の中での悲しい夫婦の別れをひと言の説明もなく表現している、素晴らしい場面でした。

●幕開きと幕締めでガッカリさせない

ビデオを撮っていて、やはり視覚的に楽しませてもらうには、舞台装置は大きな要素となります。幕が上がったときに立派な舞台装置を組んであると、そのセットについて「どんな材料を使っているんだろう」とか、「何て書いてあるんだろう」とか、いろいろな興味を持って場合によってはそれをアップして、画像を分析して調べようと思ったりします。それに対して、幕が上がったときに舞台上に何もないと、「何も撮る物がない」という感覚になります。やはり幕開けで何を照らすか、どうやってきれいに見せるか、考えて舞台を作ってもらえると撮り甲斐のある劇となります。もし舞台装置が何もないとしても、明かりや登場人物のストップモーションで始まるとか、インパクトのあるシーンの途中で始まる形とか、いろいろと工夫のやり方はあるはずです。

その意味で、幕閉めでも、最後まで写すもの（見るもの）を残しておいて欲しいものです。例えば、中学校演劇の傑作『グッドバイ・マイ…』（小野川洲雄作）では、最後、黄郎が「グッドバイ・マイ…」と言った後、下手へ去って消えてしまうと寂しい幕切れになります。最後の台詞の後、動き出す前に幕を閉めたいものです。仮に黄郎が去ってしまうとすれば、残された「おじいさん」が何かを観客に（もちろん台詞でなく）伝える演出を考えるべきでしょう。また、高校演劇の傑作『七人の部長』（越智優作）では、最後まで残った生徒会長も去って舞台上に誰もいなくなりますが、オリジナルの越智優さんの演出では、そこでセンターのテーブルから一枚、予算書がひらりと舞い落ちて、その瞬間幕が下りてきます。最後に人が誰もいなくなって寂しさを感じた客が別のものに引きつけられて、ハッとなったときに終わらせる粋な演出になっているのです。

●最近のビデオカメラ事情

以前の私は、撮影しながらいつも機会を狙って「どアップ」のシーンを作ろうとしていました。主な登場人物を一人ひとり大きくアップにする機会を狙ったり、道具でもどんなふうに作っているか知りたいと思えば、場面の隙を狙って大きく引き寄せて撮っておこうとしました。それは、そうしないと細かいところまで見えなかったからです。サスペンションライトを浴びた時など、周りに比べて人物だけが明るくなるので、かなり引きつけないと、人物が真っ白になってしまって顔など全く分からなくなりました。背景がホリゾントでなく大黒幕のときなどはなおさらです。大黒幕はビデオ撮影にとって悩みの種でした。

それに比べて、今のビデオカメラは進歩したので、自然と撮り方も変化しました。無理してアップにしなくてもかなり細かいところまで見えるので、再生したときにアップにして欲しいという欲求が湧かないのです。むしろ、引き寄せてしまうと別の演技をしている役者が見えなかったりして、そちらの方の不満に対するストレスが大きくなります。だから、あまりアップにせず、アクティング・エリア(演技をする範囲)ぎりぎりぐらいにセットしてほとんど画面を変化させないで撮るなど、その時舞台で演じている人物全体がはみ出さないことを最も重視して撮るようになってきています。

4 合宿に行こう！

演劇と教育
2014年7月号掲載

演劇部の中で、合宿を行っているところはどれだけあるでしょうか？　かなり少ないと思って書いているのですが、合宿の良さはやってみないと分からない。やってみると意外と充実感・達成感を生む、素敵な取り組みになります。今回は、「そんなこと、自分にはとてもできない」と思われる演劇部顧問の方々のために、「それなら来年の夏休みにはやってみようかな」と思えるように、私が味わったさまざまな合宿の魅力を書いてみます。

●合宿へ行くようになったきっかけ

私が演劇部合宿を初めて行ったのは今から九年前、私の三十年間の演劇部運営の歴史の中では割合と最近のことです。その年、私は中央区立銀座中学校に行って、演劇部を立ち上げました。中央区では、学校ごとに期間を決めて夏休みの部活合宿を設定しています。場所は千葉県柏市にある区の施設です。その募集があったので、私は何となく生徒に募集があることを伝えたところ、生徒が「先生、申し込んでください！　ぜひ行きたい！」と言うのです。合宿は三泊四日です。私は、劇づくりに入っていない時期の三泊四日を、日常活動だけで実施するのは可能だろうか？と、あまり乗り気ではなかったのですが、生徒の希望ですから一応申し込んで、実施してみたのです。

合宿の宿舎前で

その結果得たものは、「基礎練習だけでも三泊四日の合宿は十分にこなせる」ということでした。しかし、これは私の場合であって、すでに二十年の顧問としての積み上げがあったからだと言った方がいいでしょう。演劇部を初めて持って間もない方であれば、劇づくりの取り組みに位置づけて実施した方がやりやすいと思います。実は、ときどきこの記事でも触れている栗山宏先生は、現役のときに合宿に取り組まれていたようです。詳しいことは知りませんが、栗山先生の場合は、合宿で秋の大会に向けた劇に取り組み始めていたようです。

●当番サボりで大激怒！

銀座中学校の場合は学校全体としての部活合宿でしたから、全体での時程の枠があり、朝は屋外でラジオ体操とジョギングがあります。食事に関しても順番で当番がまわってきます。比較的運動の苦手な子が多い演劇部の生徒たちにとって、朝のジョギングは結構きつかったようです。

二年目の合宿のことでした。ジョギングのあと、演劇部の生徒たちが食事の当番であるにもかかわらず食堂へ行きませんでした。私が部屋へ行ってみると、全員部屋で休んでいます。私は烈火のごとく怒って言い放ちました。「食事の当番にも行かないお前たちを先生は指導し切れない！指導できないんだから、さっさと荷物をまとめて帰れ！」部長の子は、必死の形相で私を見つめていましたが、私はそう言い放つと、さっさと自分の部屋に帰りました。それからしばらくして、部屋の子たちが全員私の部屋にやってきて、部長が代表して言いました。「当番に行かなかったのは、疲れて行く元気がなかったからです。だけど、それで行かなかったのは申し訳ありませんでした。今みんなで謝って、反省の印に廊下で正座します」。そして深々と全員で土下座し部屋を去って行きました。その後、しばらくして見に行くと、そこには全館空調設備があるとはいえ、暑い廊下で何も言わずに汗を垂らして座っている生徒たちの姿がありました。そんなけなげな姿を見て、私は心から生徒たちをいとおしいと思いました。

また、毎晩ミーティングの時間を取るのですが、三日目の夜、明日は帰るというときのことです。この合宿での感想を聞いていたとき、（本書60ページでもふれたように）今までミーティングの場面でほとんど声を出すことのできなかった部員が「演劇部に入って良かったです」と言ったのです。その声が嬉しくて、みんなで拍手しました。

こういった、普段味わえない感動を味わったり、今までと違った深いつながりで生徒と結びつくことができる、それが合宿の良さだと思います。

●合宿で新しく出会った二つの脚本

現在の練馬区の中学校では、中央区のように学校単位で実施する部活合宿はありません。しかし、幸いなことに夏の合宿に適した施設が複数あって、毎年団体や個人での利用を受け付けています。

この学校では二年目の夏、最初の部活合宿を二泊三日で行いました。部活動が二年目である程度定着してきたことや、部員が三十名程度に急に増えて、いつも手狭な特別教室で活動しているので、少し広いところを使って、集中的な練習を行いたいと思ったのです。保護者三人が引率という形で、保護者主催、形式上教員はコーチとしての参加です。生徒は張りきって自分たちで係を作り、中には決まりを守るための「お仕置き係」なんていう係もできました。

この年、この演劇部で出した作品は生徒の創作による作品で『夕輝〜僕の生きた証』（三好日生作、深澤直樹補作）という作品でした。この作品が初めて演劇部全体の場に持ち込まれたのがこの合宿の場です。この作品を書いた生徒は一年生の時から脚本を何本か書いていて、私はそれを校内公演で取り上げたことはあったものの、まだ大会に出す作品を書けるとは思っていませんでした。ところが、この作品は都大会、神奈川の演劇講習会教材上演を経て、脚本集にも載り、昨年も今年もうちの演劇部では取り上げて上演しているのですから、我が演劇部にとってそんな作品に出会ったという出来事は、合宿で起こったちょっとした奇跡でした。

また、全国大会に選ばれた作品、『空の村号』（篠原久美子作）を初めて生徒が読んだのもその年の合宿のときでした。これは私が全劇研をきっかけに目をつけていた作品だったので、あえて合宿という場でこの作品に出会わせたいと思い、合宿の場で初めて読み合わせを行いました。その結果、その作品はその後二年間にわたって取り組む作品となったのです。

合宿のスケジュール　昨年の例から

昨年、三年ぶりに合宿を行いました。その間の二年間、合宿を行わなかったのは部の雰囲気の問題があったり、私個人の日程が難しかったりしたためです。本来、部活動合宿を行う義務はないですから、決して無理して行うものではないと思っています。

それでは、昨年の合宿のスケジュールをお知らせしましょう。ご覧の通り、この合宿の場合、『夕輝〜僕の生きた証』の練習が一番中心的な練習内容になっています。これは主に、一・二年生に台詞のある劇の練習をさせたいためでした。何故かと言えば、夏休みまでの間に作った劇が前の年に上演した『もしイタ』（畑澤聖悟作）の再演（小学校公演と校内公演）のみで、この劇の主な台詞のある役には一・二年生はほとんど入っていなかったからです。また、『夕輝』は最初に練習劇として作ってみるつもりで配役まで決めて、中途半端で終わっていたのです。そこで、合宿で一応上演するところまで作り、「合宿での部活内公演」という形で一応完結させようと考えました。部活の人数が多いの

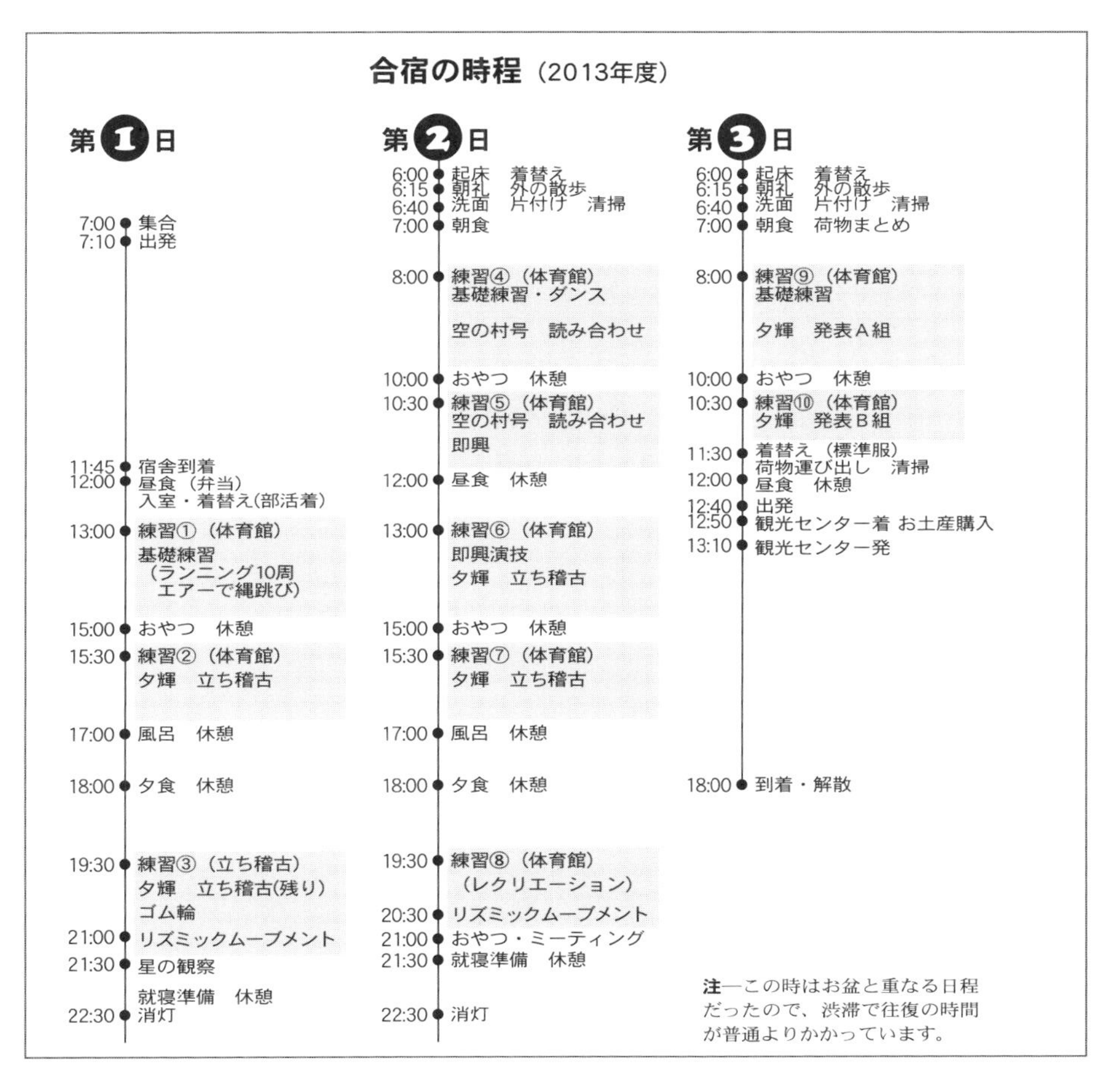

で、ダブルキャストで全員が配役になり、片方が上演するときは片方が観客になります。部活内発表と言っても、一年生にとってはほとんどの生徒にとって初めて台詞をもらった初舞台です。また、引率という形で参加された保護者の方（二名）がビデオを撮りましたが、一人の保護者の方はこの発表会で感動されて、最終日に挨拶されたときに思わず涙声になっていたのが印象的でした。

　もちろん、スケジュールを見ると分かるとおり、劇の練習ばかりではありません。朝は近くの川まで散歩に行ったり、夜はレク係の企画によるグループ対抗のレク大会を開いたりします。また、行ったのは長野の旧武石村（現在は上田市に合併）で標高が高いので夜の星が美しく、外に出て星の観察をします。はくちょう座も、織姫・彦星（こと座ベガ・わし座アルタイル）も見たことのない生徒に、夏の大三角形とその一つ一つを説明するだけでも、素敵な思い出を作ってあげられると思うのです。

●リズミックムーブメント

合宿では、普段やりたいのになかなかできない練習法を、いつもより広い練習場で思い切ってできたりもします。私が合宿のときに力を入れてやるのは、リズミックムーブメントという練習法で、先ほど触れた栗山先生が大変重視されていた練習法です。流れる音楽に体を浸し、心の赴くままに体を動かします。特別に説明をしないと、これを聞いてすぐに実施するのは難しいと思いますが、ダンスでもなければバレエでもなく、人を気にすること無しに自分だけの世界でひたすら音楽を体で表現するのです。注意点としては、①体のいろいろなところを意識して使うようにする。②他の人を見ることをせず、もちろんしゃべるなど、関係を持たないこと。③場所を動くときはぶつかることだけ気をつけるため、目は開ける。④動きたくなるまで動かなくて良いが、音楽に注意を集中し、体を音楽で満たす。⑤移動する動き方よりも、その場でいろいろな体の動かし方をして表現することを心がける。

最初は、よくわからず、恥ずかしさもあって動きづらいものです。だから、夜の時間帯に全体をかなり暗くして、他の人の目が気にならないようにして実施するのです。かける曲はクラシック系の音楽で、最初は行進曲やバレエ音楽のような単純に動ける曲から始め、次第にワーグナーやストラビンスキーといった複雑な、またはドラマティックな音楽をかけていきます。場合によっては教師一人見ているのではもったいないほど美しい表現をする生徒がいたりするのですが、もちろん目的は自分を解き放つことなので、見せることが目的ではありません。そんな練習も、合宿という日常から離れた時間と空間で行ったとき、特にやりやすいし効果も生まれるのです。

合宿のレク大会を楽しむ部員たち

5 演劇は生もの

演劇と教育
2014年8+9月号掲載

上演劇決定はいつ？

今回は「劇を新鮮に保つにはどうしたらよいか」というお話です。

まず質問ですが、上演する日（例えば大会の日）が決まっていて、そのための劇を脚本集から選んで決めるとしたら、その脚本はいつ頃決定するでしょうか？　三か月前？　四か月前？　それとも半年前？

私は、演劇部顧問からよく、「何か良い脚本はないですか？」とか、その他、いろいろな劇についての質問を受けることがありますが、それが春先だったり、まだまだ夏休みまでには日にちがある頃だったりします。そこで、「その劇はいつ上演するんですか？」と聞くと、「いえ、秋の大会なんですけど」という答えが返ってくるのです。東京都の場合は秋の大会というのは大体十一月の前半です。そうなると、その十一月前半に上演する劇を半年ほど前に決めることになります。

劇を決めるのは早いほうが良いに決まってます。その方がいろいろな意味で準備ができますから。まして、初めて演劇部を持った顧問となれば、劇をつくるのにどれだけ準備期間が必要か分からないでしょうから、早めに決めておいたほうが良いと思うのは当然のことです。それでは、その劇の練習を始めるのは一体いつからでしょう？　半年前に劇を決めてそれからずっとその劇の練習をやっていくとなると、そこにはいろいろな問題が出てきます。それも知っておいてほしいのです。それが、最初に言った「劇を新鮮に保つには」という問題です。

●練習は一か月

私の場合は、その年の大会の上演劇を決定するのは、たいがい夏休み明けです。私の地区の大会は十一月初めですから、夏休みが明けた段階で劇を決定すると残りはちょうど二か月です。二か月間で、配役を決め、舞台装置を作り、小道具を作り、音響を作り、照明を決め、半立ち、立ち稽古、そしてゲネプロ（総練習）を経て、舞台リハーサル、上演までをこなしていくわけです。

いえ、誤解を避けるために述べますが、本当はもっと早いほうが良いに決まってます。私も、夏休みが終わろうとしているのに劇が決まっていないと決して良い気持ちがしないで、焦りも感じます。そんな日々を過ごすのは良くないに決まってます。

でも、終わってみると、案外そのくらいの方が、つまり期間が少し不足して焦るくらいの方が、期間が長すぎるよりむしろ良い上演になったりするのです。

実は、昨年度も、一昨年度も、上演劇の決定に取りかかったのがすでに九月に入ってからでした。そして、最終決定をしたのは九月の中旬です。それから配役決めに入ったのです。一昨年度の『もしイタ～もし高校野球の女子マネージャーが青森の「イタコ」を呼んだら』（畑澤聖悟作）は、九月後半のテスト期間中に、ある朝突然「もうこの劇に決めるしかない。これを上演するのが一番良い」と決意しました。部員たちには「朝、先生に神が降りてきて、この劇をやれと言われた」と言いました。それまで三本の作品を検討していて、テストが終わってからまた話し合いをする時間は絶対にないところまで来てしまっていたのです。

この劇を関東コンクールで上演した際、他校の顧問の先生が来て、「あの劇は、どのくらいの期間かけて練習したのですか？」と、聞かれました。そのときは地区大会の練習から考えれば随分たっていたので答え方が難しかったのですが、配役を決めてから最初の地区大会へ向けての練習期間と言えば、一か月もありませんでした。もっとも、この劇は高校の全国大会で最優秀作品となり、国立劇場で上演したものを見ていたわけで、元となる演出があったことや、舞台装置が全くない作品だったことなど、短い期間で作るにはやりやすい条件がありました。

昨年度の『空の村号』（篠原久美子作）の場合も、やはり最終決定は九月の半ば過ぎでした。しかし、一昨年度と違ったのは、他に対抗馬となる作品がほとんどなかったので、決定は全くどんでん返しでも何でもなく、少し決定まで熟すのを待っていたところがありました。いろいろと演出上の関係で配役の決め方にも迷っていたところがあり、配役を一応決めても、そこから絞ったり膨らましたりしながら練習を進めていったところもありました。どちらにしても、とりあえずの配役決定は十月一日。地区大会までの期間は一か月と一日でした。

何でそんなに遅いのか？

では、どうしてそんなに遅い決定にするのか？　というか、遅い決定でも良いのか？　いえ、遅いとすればですが。それは、劇は生ものだと考えているからです。

プロの作品はそんなことはないかもしれません。私はプロの場合どのくらいかけるのか知らないし、劇団によって、演出家によっても違うのでしょうが、プロの場合もきっとそうした部分はあると思っています。ただし、プロの場合はたいがい中学校劇と違って一発勝負ではないし、何といってもプロですから、新鮮さという面も俳優さんの努力に任せられる部分が多いでしょう。それでも、「新鮮さ」を常に持って舞台に立つことはやさしいことではないのです。

中学生の場合はその「新鮮さ」を保つことはもっと難しいし、その意味で中学生の劇は生ものだと思います。新鮮なうちが一番おいしいのです。少し荒削りでも、立ち位置が決まって、台詞が入って、お互いの交流ができるようになったところが、新鮮な気持ちで演技ができるので、見ている人にも新鮮さが伝わってくるのだと思います。もちろん、これを読んだ方には、「冗談じゃない！　劇はもっと丁寧に作るものだ！」と感じられる方もいらっしゃるでしょう。あくまでこれは私の感覚で、「新鮮さを大事にしたい」ということです。

劇は舞台の役者が発するエネルギーを観客が感じ取ってそれが楽しさを生んだり、悲しみを生んだりするものなので、中学生がず～っと同じ劇を練習していると、その中から新鮮な楽しさとか、新鮮な悲しみを生み出すエネルギーが失われてしまうものです。『もしエン12か月』の共同執筆者、正嘉昭さんは、「劇ができあがってくるとすぐにそれを壊しにかかる」と言っていました。彼はいつも創作劇だったので台詞やストーリーを練習をしながら自由に変えていたようです。それは、彼が同じ練習の繰り返しをしていると新鮮味が失われることを知っていたからでしょう。

なぜ新鮮味を失うか

地区大会で都（県）大会に選ばれたりすると、その間に期間があって練習を重ねていくのは非常に難しくなります。都大会でかなり上手にできた場合でも、「私は地区大会のときの方がよかった気がする」という声を聞いたりします。形としては都大会の方が上手くいったとしても、見た人の印象がそうなることが多い、それは、会場の大きさとか、他の劇とのバランスの問題とか、さまざまな条件によって違ってくるのですが、かなり大きなウェイトを占めるのが、役者の心の持ち方、心の動きなのだと思います。

先程からずっとこだわっている劇の新鮮味とは、この役者の心の動きです。これを保つのは実は非常に大変なことです。まず、同じ演技を繰り返していったときに出てくるのは、相手の反応に慣れてしまうことです。例えば、相手の言動の前に、それに対する反応をして、分かるはずのないことを分かってしまっているような動きをしてしまいます。

そこで、指導者としては当然「相手に対してしっかり反応しなさい」と指導することになります。相手が言ったことをしっかり受け止めて、心の反応として次の自分の台詞が出てくるようにするわけです。これは、当然の正しい指導のはずです。しかし、これで劇が面白くなってくるかというと、なかなかそうはいきません。結果としてテンポが悪くなったり、何回やっても同じような決まった表情・反応になってきてしまいます。それをなかなか打開できないのです。役者である本人が新鮮な感覚で練習できないからです。「相手の言葉に反応して」と言われて、役者は反応しているつもりでも、心は反応しなくなってしまうのです。そこが指導者としては難しいところなのです。

●鮮度を保つ工夫

私が地区大会から都大会へ向けての再演の場合、同じパターンの練習を繰り返してやることはできるだけ避けます。例えば、一回地区大会で仕上がった劇ならば、しばらく通し練習はせず、(特に東京の場合などは三年生をずっと練習に出しておくことは難しいので)、一・二年生の部分を練習して全体を高めておき、都大会の一週間から十日くらい前になって、初めて三年生を入れた練習をしたりします。そうすると、再開したときは都大会の直前になっていますから、練習が間延びする暇などなく都大会に突入してしまいます。その緊張感が、舞台の新鮮さを保つと私は感じているのです。

その前に私が行ったやり方には、配役の誰かに別の台詞を仕込んでおいたことがあります。普通に立ち稽古をしている中で相手が突然脚本と違う台詞を言うので相手は戸惑いますが、それを受けて、その人物として返すようにしないといけないのです。なかなか上手に役柄の人物のままで応じることは難しいのですが、いつもその人物の気持ちでいなければならないことや、生きた言葉として台詞を言えるようにするために良い方法だと思っています。

もう一つ、配役を替えて練習したときもあります。それぞれ自分の配役と違う人物になって、自分でも演じながら、自分の役を他の人が演じるのを見ると、いろいろと見えなかったことが見えてくるものです。その練習のときに演じる役は本当の配役ではないので台詞がなかなか入らず困ったりはしますが、都大会が迫って、ここから元の配役に戻すと決めたときまでは頑張るのです。

どれも絶対の方法などではありませんが、そういった工夫をすることは大切なことです。

●テンポを大切に

ずっと以前ですが、都大会で大失敗をしたことがあります。大失敗の経験は結構たくさんありますが、その時の失敗は、あまりにも劇のテンポが速くて無味乾燥な劇になってしまったことです。

私は客席でビデオを撮っていたのですが、ビックリして思わず立ち上がり、でも何もできずにそのまま座り直したのでした。劇が終わったとき、地区大会のときの講師の先生に「生徒たち、疲れているんじゃない？」と言われました。どうしてそうなったのか、今でも本当の原因はよくわからないのですが、生徒の緊張のせいでしょうか、それとも同じ練習の繰り返しで、劇の新鮮味がなくなってしまったのでしょうか。地区大会で、我ながら楽しい劇にできたと思ったのに、同じ演出でありながら全く違う印象の劇になってしまい、本当に残念でした。

実は、昨年度の『空の村号』も、一昨年度の『もしイタ』も、テンポが速くて「速いな」と思っていました。制限時間の四十五分を守れるかどうか、「もうこれ以上台詞をカットできない」という中で、多少無理してでもアップテンポでやろうと決めた上演でした。

でも、それは以前失敗したときとは全く違う効果をもたらしました。テンポの良さが観客の気持ちを捉えて、舞台の一挙手一投足に観客が反応する雰囲気になっていました。演劇の場合、全ての劇でとは言いませんが、一般的に普通の会話よりアップテンポで行われるもので、そのテンポの良さは観客にとって快適に感じるもののようです。でも、それは緊張して間が悪くなった速さとは全く違うものです。お互いの会話がしっかり成り立って、その上でのアップテンポでなければいけないし、そのためには何らかの新鮮味を保つ工夫が必要だと思うのです。

さて、あなたはこれからの劇づくりにどれだけの期間、練習させますか？　どうやって新鮮な劇を舞台に上げますか？　いろいろと試してみてください。

6 ある日の演劇部

演劇と教育
2014年10月号掲載

何でもない日の活動の大切さ

演劇部の顧問をしていて一番大変で、「これさえ上手くいけば」と思うのが、何でもない日常の活動ではないでしょうか。だから、この『もしエン』でもシリーズ初めの四月に新入生勧誘について書いた後、五月には「まずは基礎練習のパターンづくり」として、基礎練習のパターンに使えるものをいくつか紹介しました。ていねいに紹介したつもりですが、最終的には、やっているのを見て初めて分かることや、自分でやってみてだんだん分かっていくものが多いと思います。そこで、今回は、「ある日の演劇部」と題して、少しでも「見ている」感覚で読んでいただける文章に挑戦してみます。何か伝わるものがあれば良いのですが。

ある日の土曜日、午前中の活動

設定したのは七月に入って間もないある土曜日の午前中。九時から十二時までの活動です。

学校に九時前ぎりぎりに到着。私は、いつもぎりぎりになってしまいますが、絶対に遅刻はしないようにしています。それが最終的に部員に「遅刻をするな」と言うときの鍵だと思っています。

部員も大方遅刻せずに来て、九時になるとまず床に座ってストレッチ。ひたすら開脚。足を閉じて他の形のストレッチをやりたがる生徒も出てきますが、私は「足を開け」と言います。足を開いてもすぐ閉じてしまうと一度伸びた筋は逆に縮もうとします。筋に対して、縮むことを諦めさせる必要があります。「足を広げて痛みをずっと感じ続けろ～」長い時間開き続けることで、初めて効果が現れるのです。

●ヨガを応用した練習

次は、「床に仰向けに十字になれ～」。全員が仰向けになって手を横に真っ直ぐ、手のひらは下向きにします。「はい、じゃあ五つ数えるから足を伸ばしたまま九十度に上げる。一、二、三、四、五」。これはゆっくり。それに合わせて反動をつけず足を上げます【写真Aの上】。なかなかまっすぐには伸びません。伸ばすには腹筋が必要なのです。「つぎは、足を伸ばしてそろえたまま、右に倒す。一、二、三、四、五」【Aの下】。これも、バタンといかないようにするのは難しい。顔は足の向きと反対に左に向けていきます。体がしっかりしていないと戻すときに左右の足が離れてしまうので、つけたまま上げられるようにします。これを次は左に倒し戻す。それをツーサイクルやると、つぎは、「三つ数えるから足を四十五度にしろぉー。一、二、三」。この角度で足をしっかり伸ばして耐えるのは相当腹筋が必要です。そこでさらに一声。「はい、発声いくぞ。せーの！」発声は短い「ア！エ！イ！ウ！エ！オ！ア！オ！……」をア行からワ行までワンサイクル。それが終わったら、「まだ戻すなよ、ゆっくり合わせて。一、二、三」で、床に降ろします。ヨガの応用ですが、このエクササイズは捻りを入れることと、腹筋を鍛えることと、発声の時の腹筋に負荷を掛けることが目的です。

基礎練習のパターンにしている
ヨガを応用した基礎練習【A】

ヨガを応用した練習【B】

もう一つ、続けてヨガのエクササイズです。膝立ちで膝は肩幅、右手で左足のかかとを持って、左手を上に上げ、後ろに伸ばすと共に上半身を反らす。次は左手で右かかとを持ち、右手と上半身を後ろに。最後は両手で両かかとを持って上半身を反らす【写真B】。「真後ろをどこまで見えるか、顎を上げて後ろを向く。おへそを前に出して、体がコの字になるように。ハーッて息を吐いてもう少し後ろを見る！」――そんな感じで声を掛けます。

●発声

つぎに、発声です。私の場合、基本的に腹筋による短音での「アエイウエオアオ」と「外郎（ういろう）売り」の二つを使うのは『もしエン』の五月の項で説明したとおりです。これも説明したように、「アエイウエオアオ」は口の形と腹筋を意識してしっかりした声を出すため。「外郎売り」は、顔の筋肉をできるだけ動かしてくっきりした発声をするためです。

「外郎売り」の場合、生徒に任せておくとどんどんスピードが速くなっていきます。きっと生徒たちは速いほうに合わせて言おうとするので、だんだん全体が速くなっていってしまうのだと思います。私は早口は苦手なので、子どものスピードに合わせて言っていると追いつけなくなっていきます。では、生徒たちが言えているかというと、全然そんなことはありません。「お茶立ちょ茶立ちょ、ちゃっと立ちょ茶立ちょ」「あの長押（なげし）の長長刀（ながなぎなた）は誰が長（た）長刀ぞ」「京の生鱈（なまだら）、奈良生（なま）まな鰹（がつお）」など、一人ひとりそのスピードで言わせてみれば、ボロボロになります。だから、その勢いに任せてしまうということは一人ひとりの発声はいい加減になっていくということにもなります。今年の三月、新入生を迎えるにあたって新二年生が「外郎売り」を教えられるか確認したところ、細かいところが分かっていなくて「えーっ、違って覚えてた！」なんていうこともありました。とにかく、「外郎売り」はとりあえず早口にならない方が良いと思います。私は自分のペースで言いながら、はっきり生徒のペースより遅く言います。そうすると生徒はそれに合わせて修正するわけです。一年生が覚えている段階では、五人ほどリーダーを決めて、区切り線をつけた台本で区切りごとにリーダーの後に繰り返していく練習もしましたが、今は全体で一斉に言うパターンに戻しています。

●階段ダッシュとダンス

発声が終わると、階段ダッシュです。一階から四階までを五周。個人で「アエイウエオアオ」を言いながらです。私は、四階で生徒が踊り場の壁にタッチして折り返していくのを見ています。「しっかり声だせ～」とか言いながら。遅刻してきた者は、遅刻五分に付き一往復たします。近頃は男子で自主的に五回だけでなく延々と続ける者がいて、最初一人だったのが、だんだん増えているようです。このまま続くかは疑問ですが、良い傾向です。

これが終わって汗を拭いたり水を飲んだりするとざっと四〇分～四五分です。

この後、さらにダンスの練習があります。外部指導員の専門家（木村寿美さん）に（不定期ですが）来ていただいているので、基本の動きと今習っているものを固める意味でやっておくのです。これでようやく基礎練習が終わり、ほとんど

お祭り（北原白秋）群読例

A ← B ← C ← D

わっしょい　わっしょい
わっしょい　わっしょい
わっしょい　わっしょい
祭りだ　祭りだ

A

背中に　花笠
胸には　腹掛
向う　鉢巻
そろいの　法被で
わっしょい　わっしょい
わっしょい　わっしょい
わっしょい　わっしょい

B ← D

神輿だ　神輿だ
神輿の　お練だ

A

山椒は　粒でも
ピリッと　辛いぞ
これでも　勇みの
山王の　氏子だ
わっしょい　わっしょい

A ← C

わっしょい　わっしょい
わっしょい　わっしょい
真赤だ　真赤だ
夕焼　小焼だ

B ← D

しっかり　担いだ
明日も　元気だ
そらもめ　もめもめ

A ― C

わっしょい　わっしょい
わっしょい　わっしょい
わっしょい　わっしょい

B ← D

俺らの　神輿だ
死んでも　離すな
泣虫や　すっ飛べ
差上げて　回した
もめもめ　もめもめ

A

わっしょい　わっしょい
わっしょい　わっしょい
回すぞ　回すぞ

C

金魚屋も　にげろ
鬼灯屋も　にげろ
ぶつかっ　たって
知らぬぞ　わっしょい

「お祭り」を群読する

A ← B

そらどけ　どけどけ
どけどけ　わっしょい
わっしょい　わっしょい
子どもの　祭りだ
祭りだ　祭りだ

B ― D

提灯　点けろ
御神灯　あげろ
十五夜　お月様
まんまる　だ
わっしょい　わっしょい
わっしょい　わっしょい

A

わっしょい　わっしょい
あの声　どこだ

B

あの笛　なんだ

D

あっちも　祭りだ

A

こっちも　祭りだ

C

そらもめ　もめもめ

B ← D

わっしょい　わっしょい
わっしょい　わっしょい
わっしょい　わっしょい

A ← B ← C ← D

わっしょい　わっしょい
わっしょい　わっしょい
祭りだ　祭りだ
山王の　祭りだ
子どもの　祭りだ

A ← C

お月様　赤いぞ
御神灯も　赤いぞ

B D

そらもめ　もめもめ

A ← B ← C ← D

わっしょい　わっしょい
わっしょい　わっしょい
わっしょい　わっしょい
わっしょい　わっしょい

一時間が経過しました。

　もちろん、ときによって基礎練習は省略して短くすることは可能です。しかし、土曜日など、休日に練習する場合はほとんど省略はしません。部活動の状況によって違いますが、うちの演劇部の場合、人数が多いため、劇の練習になるとほとんど見ているだけという生徒も多く、さすがに見ているだけの練習では活動として厳しいものがあります。この日のメインの活動は、夏休みまでの練習劇の配役発表と、発表された配役による最初の練習でしたが、今回は日常活動のための回ですから、省略します。

●「お祭り」の群読

　さて、その取り組みが終わると大体十一時半を過ぎました。残った時間は、ミーティングで過ぎることも多いのですが、この日は日常活動の練習に使いました。取り上げたのは北原白秋の「お祭り」の群読です。このテキストは演劇部の『基礎練習の資料』に綴じ込んでありますが、今年度、何故かやったことがなかったようで一年生は何だろうという顔をしています。二年生は、嬉しそうに覚えているフレーズのかけ声で楽しんでいます。

まず、丸く並んだ生徒に、順に1・2・3・4・1・2・3…と声を掛け、部屋の四隅に1のグループ、2のグループ、3のグループ、4のグループと分けて立たせます。ずっと基礎練習の資料（年度当初、新入生に配布します！）を使っていなかったので、テキストを持っているのは半分ぐらい。予備の分を貸し出して、準備OKです。適当に一つのグループをAに決めると、順にB・C・Dを読むパートが決まって、私が手拍子を「一、二、三、四」とたたくと、Aのグループから「わっしょいわっしょい！」とかけ声が始まり、順にB、C、Dのグループが加わっていきます。この群読でのポイント。①お祭りのかけ声なので、口の形云々よりもまずは勢い。だから、普通に「わっしょい」と発声するより、体を揺さぶって「ウッショイ！」（分かるかなぁ〜このニュアンス）みたいな感じで。②最後、全員の「わっしょい！」をクレシェンドさせて、言い終わった後の一瞬の余韻をみんなで集中して聴く。「お祭り」の群読のパターンはいろいろあるようですが、私は三十年ほど前に教職員組合の合宿でこれを習い、今でもそれを使っています。

さて、これでほとんど十二時。最後にもう一つ練習しました。簡単にいうと表情の練習です。全員が前を向いて整列し、お互いを見ないように縦と横を揃えます。そして、私が「顔を全部上！」と言うと、顔のあらゆる筋肉を使って、目も鼻も口も全部上へ向けて動かす。そんな感じで、「右！」「左！」「外へ開く！」「真ん中にキュッと寄せる！」「上下からつぶす！」「左右からつぶす！」など、とにかく表情筋を動かして、表情を作れるようにする練習をやりました。

基礎練習はそれぞれの指導者が様々なものを持っています。私も、習ったものと自己流との組み合わせです。自分が取り入れたいものを取り入れていけば良いのです。少しでも皆さんの参考になれば幸いです。

7　劇づくりの指導

演劇と教育　2014年11月号掲載

30年間の演劇部顧問を振り返って

この「続・もしエン」を始めるときのことです。「もしエン」の内容を相談していた正嘉昭さんがこう言いました。「田代さんの今までの演劇指導の流れを書いてみたら？　絶対良いと思うよ」。確かに、三十年にわたる演劇部指導の中で、指導のやり方も、劇に対する考え方、そして、演劇部に対する考え方も随分変わってきました。そこで、今回から三回にわたり、演劇部指導を振り返って書いてみたいと思います。

教員になるまで

少し私の経歴を紹介させていただきます。その説明なしには私の考え方や教員、そして演劇部顧問となったこと、その他全ての説明が不可能なのです。

私は学生時代、演劇には無縁の生活でした。部活動は何も入っていませんでした。というか、そもそも小学校五年以降、まともに学校生活を送ってきませんでした。小学校五年の夏から、長い長い闘病生活を送ってきたのです。病名は慢性腎炎です。一年間学校を休んで一年後の夏休み明け、再び五年生で学校に復帰しました。しかし、学校へは行ったり行かなかったり。行ってもすぐに帰ってくる生活でした。病気にかかってから中学校を卒業するまでの間、学校に一番長くいたのは四時間です。給食を食べたことも、給食の時間に学校にいたこともありませんでした。中学三年生でまた一年間休んで留年しました。結局、中学校を卒業したときは二年遅れて、十七歳で卒業したわけです。

高校では無理して休まずに授業を受けていましたが、高校三年の六月頃は病気が悪化して、主治医の先生は私の母に

「あと半年です」と伝えたそうです。余談ですが、母が私の余命半年ということを聞いたその日、偶然母は池袋の駅で兄とばったり出会いました。話を聞いた兄は「いいよ、その時は僕の腎臓を片方、弟にあげるから」と言ってくれたそうです。それで母は、やっと気持ちを立て直して家に帰れたのです。私はそれを知りませんでしたが、病状が悪いのは何となく感じていたので、二十歳だったその頃、「四十歳まで生きられたらいいだろうなぁ」と思いました。

そのすぐ後のことです。偶然、とても効果のある治療法に巡り会うことができ、私は無事に大学を入学・卒業することができました。大学四年間は将来の生き方を模索する四年間でしたが、教育実習でいたく感動した結果、卒業して二年後、採用試験に合格して教員になったわけです。教育実習でお世話になった先生は中学三年生の時に担任だった先生で、よく言ってくださったことがあります。「僕は、田代くんが教師になったら、何だか分からないけど、何か生徒と一緒に変わったことを始める気がしていた」。今になると、それが演劇だったのでしょうか。でも、私が演劇部顧問になる直前に、その先生は病気により、現職で他界されてしまいました。

●演劇部顧問になった!

いよいよ教員になってからの話ですが、最初の四年間(足立区立第十三中学校)は部活動を持ちませんでした。ただ、この「続・もしエン」の最初に書いたように、四年目に文化祭で上演したクラス劇が舞台の部の最優秀になるという、今となっては偶然のような出来事がありました。

次の学校は、開校二年目の練馬区立光が丘四中でした。一年目、サッカー部の副顧問を頼まれましたが、私が役に立つはずもありませんでした。その学校で二年目のことです。年度当初に演劇部の副顧問を頼まれたのです。でも、やはり演劇についても知らないということでは同じです。演劇部の活動を見に行っても何も言えることはありません。ただ見ているだけで、たまに意見を求められても答えはなく、思ったことを言っても否定されるだけで、このあたりの状況は「初めての演劇部顧問のために」で書いたとおりです。

顧問一年目に区大会に出した作品は部長の創作でしたが、今では何も覚えていません。覚えている最初に区大会に出した作品は顧問二年目、北川汀作の『夏雲』でした。生徒が広島の原爆について調べる話なので、スライドでそれぞれの場所を映し出しました。他に何か工夫したと言えることはありませんでした。ただ、合評会で、「最初は、なんだ、ただ広島のスライドを映して学ぶだけの劇かと思ったが、後半になると胸がじんじん締めつけられるような思いがした」と、思いのほか好評でした。当時練馬区では三日にわたって二十一校が参加し、都大会には二校が出場したのですが、その中で次点に選ばれました。

その次の区大会に出した作品は、『サウンド・オブ・ミュー

練馬区立光が丘第四中学校『アニー』

練馬区立光が丘第四中学校『風の歌が聞こえる』

ジック』をアレンジしたものでした。その頃の演劇部はもうすっかり私の運営する演劇部になっていました。だからといって、演劇部にのめり込んで演劇部の指導を積極的にやっていたかというと、そんなことは全くありません。劇の内容も場面も具体的にはほとんど思い出せないくらいです。

三年目の作品がミュージカル『アニー』（トーマス・ミーハン作）でした。これは、練馬児童劇団に所属していた生徒がそこで上演した劇をやりたいということで取り上げることになりました。今なら上演許可の問題が当然出てくるのですが、当時の私はそんなことは全く知りません。生徒は練習のかなりの部分を振り付けと踊りの練習で費やして練習していました。この頃は練習は全く生徒の自主的なものでした。私はと言うと、やっぱり裏方中心の活動でした。あえて言うならば、オーディションで配役を決めたのが私でした。

『アニー』は練馬区で都大会代表に選ばれました。代表は合議制で決めていましたが、若くして亡くなった大泉中の野村敦子さんが、「私は『アニー』が好き」と推薦してくれたことが印象に残っています。アニー役には一年生を抜擢しましたが、大会ではその一年生の頑張りが光っていました。このとき、勉強になった大きなことが一つあります。それは、舞台装置について自分勝手な「〜のつもり」では通らないということです。『アニー』の舞台は孤児院の場面と金持ちのウォーバックス邸の場面があるので、ウォーバックス邸の場面のパネルを孤児院の場面では隠さなくてはいけません。そこで、布を何となくバサッと掛けていたのです。すると合評会で「あの布は何か?」という疑問が出たのです。確かにただ掛けていただけでは意味が分からないと思い、都大会ではレースをカーテンふうにきれいに垂らしました。

都大会に出場して他の作品に接する機会を持つということはとても刺激になるし、いろいろなことが学べます。この『アニー』出演と同じ日に栗山宏さん指導の『お猿の学校』（大久保寛作）や照屋洋さん指導の『ミュージカル「グッドバイ・マイ・ハンド」』（小野川洲雄『グッドバイ・マイ…』より、照屋洋構成）があったりして、良い舞台を見せてもらいました。

その二年後、網野朋子作『風の歌が聞こえる』を上演しました。この作品では『アニー』のアニー役を演じた生徒や、他にも演技力のある部員がけっこういました。私もパネル作りに力を入れたり、この頃にはまがりなりにも演技指導をするようになっていて、まとまった舞台になりました。都大会での評価も高くて、この頃の唯一の〝全国大会〟（当時は「関東大会」も「全国中文祭」もなかった）、全国中学校演劇指導者研究大会（全中演研）に選ばれました。この大会での上演は顧問のための教材上演です。この上演は夏休みに主役の卒業生を呼ぶ形でやった結果、練習回数があまりに少なく、上演としては失敗でした。都大会の時のような感動を生む作品にはならなかったのです。その最も大きな原因は、何の策もなく都大会のメンバーでそのまま夏の上演をしようとしたところにあります。そしてそうなってしまった別の原因にはそのメンバーたちとの関係の希薄さもあったと思います。ほとんど心のつながりのない卒業生を、上演があるからといって夏休みに来させるのは全く無理な話でした。改めて演劇部運営の中で生徒とつながることの大切さを感じます。

今改めて『アニー』の舞台をビデオで見たとき、感じるのは、多少荒削りですが、生徒の演技はエネルギーがあって見やすいし、舞台装置は技術的にはともかく、決して手を抜いていないものでした。クリスマスツリーのためには自腹でもみの木の鉢植えを買ってきて置きました。その劇づくりの方向は最初も今も変わっていないと思います。この学校の演劇部では、『アニー』、『風の歌が聞こえる』の後は、特にめぼしい作品はなく、都大会に選出されることもありませんでした。

●本当に演劇が好きなのか？

こんなことがありました。たしか、指導を始めて二年目の時だったと思います。区大会のホールでのリハーサル。今考えれば無責任な話です。私は顧問として特に指示を与えず部員任せ。部員たちは何をやって良いか分からない状況で、まとまったリハーサルができませんでした。そのリハーサルが終わった後、部長が私に言いました。「先生、これから学校に帰って練習をしましょう。リハーサルが上手くいかなくて、部員たちは今一番〝やらなくちゃ〟という気になっています。こういうやる気のあるときにやるのが一番です」。でも時間的にも遅くなっていて、場所の保証もない状態です。私は「そんなことを急に言っても無理だ」と言うばかりでした。切羽詰まった部長がいいます。「先生はやりたいと思わないんですか？　先生は演劇が好きじゃないんですか！」。私は困りました。私には、演劇が好きかどうかはっきり言える確信はありませんでした。今はこの時とは随分違いますが、それでも「自分は本当に演劇が好きなのか？」と疑問に思うことがあります。この時はなおさらです。それで、「さあ、どうなんだろう？」と口ごもったときに、ついに部長が切れたのです。「わかりました！　もういいです。私たちで勝手にやります！」。

実は、このような関係はこの時だけではありません。私と演劇部のメンバーとの間には常に緊張関係がありました。生徒には、自分たちを認めてくれない顧問に対する不満があり、私には私に対して不満を持って心を開かない生徒に対して不満を感じていました。つまり、基本的に「顧問がいろいろやってくれるから部活動をやっていられるんだ」ということを分からない生徒に対する不満です。一度悪くなった関係は簡単には好転しないものです。今、考えてみればもっと生徒と一緒になって考えて、悩んで、そして何より、がんばったところ・良いところを褒めてあげれば良かったのです。または、上手く指導できないことを謝っても良かったのでしょう。それはその時その時の呼吸とタイミングです。

演劇部を長く続けると生徒とこんな関係になることもあると思います。私の場合は、ずっと生徒とこんな緊張関係を持ちながら続けていました。このころ演教連のセミナーに行ったり、全劇研に行ったりして演劇の勉強をしたのは、この部員たちとの関係を何とかしたいのが大きな目的だったのかもしれません。今、この頃の生徒たちは、私の指導をどう思っているのでしょうか？　どこかで私が一生懸命やっていた部分もわかっていたかもしれません。けれど、それで生徒たちが私を信頼して付いてくるには、あまりに未熟な指導で、生徒にとって納得できるものではなかったようです。この頃の生徒たちは、私の演劇部指導の礎になってくれた子たちでした。

8 脚本選びへのこだわり
——演劇部二校目の十年間

演劇と教育
2014年12月号掲載

前回から、私の今までの演劇部運営を振り返って、三つの時期に分けて書いています。今月は演劇部運営では二校目（西東京市立田無第三中学校）での経験についてです。経験といっても、細かな経験談を書いてもあまり参考にならないと思うので、皆さんの参考になりそうなことをできるだけあげていきたいと思います。

●部員との関係が深まった！

その学校の演劇部は、私が異動する三年前には『ビアンカ』（斎田喬作）という作品で都大会に出場するなど、しっかり活動していたのですが、なぜか、顧問の先生は部員に対して私を「演劇専門の先生がみえました」と紹介されたので、こそばゆい思いをしました。でも、そのおかげか、最初から私に対する生徒の信頼はとてもあついものになりました。それまで部員にそれだけ信頼されたことのなかった私は、すっかり嬉しくなって、部活動にのめり込んでいきました。

その結果、異動した次の年から田無第三中学校はなんと五年連続して都大会に出場するという、当時の北多摩地区として、また私の顧問としての力量を考えるととても恵まれた成果を得ることができました。地区大会で上演するたびに講評で褒められ、都大会に選出され、演劇部での生徒との信頼関係は一校目と比べ、格段に良くなりました。最初の蜜月状態が落ち着いてからも、生徒と一緒に劇を決め、一緒に作りあげていくことが楽しくできるようになっていきました。

一方、それまでの顧問の先生に対して部員たちの信頼感が薄らいだところがあったので、今から思えば、他の先生と役割分担をし、それを部員たちに理解させる努力をもっとすべきだったと思います。複数の顧問が指導にあたる場合、生徒を迷わせたり、片方の指導者の言うことだけを聞くような状況を作ってはいけなかったのです。

●五年連続の都大会出場

この学校での五年連続都大会出場というのは、十年間のうちの二年目から六年目まででした。北多摩地区では、このころ約三十五校が参加し、五日間、四〜五会場で大会が行われ、五校が都大会に選ばれていました。そんな中で、ほぼ毎年都大会に選ばれる学校が四〜六校程度ありました。それらの学校は毎年、かなりのレベルの作品だったり、または新しいオリジナル作品を作ってきました。多くの方に知られた人としては、劇指導に定評のある正嘉昭さん、『逃亡者』で斎田喬戯曲賞を受賞した溝口（新海）貴子さん、上田和子さんなど。これらの方はいつもオリジナル作品を作りあげてきます。それに対して、私を含めていつも既成作品で勝負する顧問が三〜四名、しのぎをけずるという感じでした。「勝負」と言いましたが、演劇発表会はお互いがお互いを認め合い、仲良くし、良いところを賞賛するべき場であって欲しいと思います。そうでありながら、なおかつ勝負です。それは、熱心に活動すればするほど、自分の作品をもっと大勢の場で発表したり、多くの人々に見てもらいたいと思うのが当然だからです。それには都大会というのは最高の場です。都大会に選ばれれば自分の多くの仲間や先輩に見てもらって批評してもらう機会も得られるのです。生徒たちの自信もつきます。だから、作品の選択、道具作り、その他の演出、さまざまなところに気を遣って評価を得られる作品に仕上げようとするのは当然のことです。また、劇は観客に観てもらうものだから、良い作品を作るのは見てもらう人に対する礼儀というものです。

西東京市立田無第三中学校演劇部
1995〜2004年の北多摩地区大会参加作品

1995年『春へのあこがれ―「アマデウス」現代版―』
　原作：ピーター・シェーファー、作：網野友子
1996年『夏休み』作：斉藤俊雄
1997年『LOVE』作：斉藤俊雄
1998年『オアシス物語〜愛は限りなく〜』作：尾松藍
1999年『I was born』作：江口広明
2000年『《不思議の国のアリスの》帽子屋さんのお茶の会』作：別役実
2001年『郷愁のタンゴ』改作：網野友子
2002年『回転木馬』作：辰嶋幸夫
2003年『かくれんぼ』作：米永道裕
2004年『mental health―病識なき人々―』作：中村中演劇部・渋谷奈津子

―――は都大会参加作品
━━━は都大会・中文連大会参加作品

●新鮮な作品を探す、選ぶ

　では、この学校で五年連続して都大会に選ばれた理由はどこにあったのでしょうか？　それは、まず作品の選択に理由があります。表を見てください。下線が都大会出場作品ですが、共通して言えることは、都大会に参加した作品はすべて、都大会で、おそらくは東京都の地区大会でも初めての作品だったということです。脚本の入手方法はさまざまで、どこをどう見つければ良い作品が見つかるということなどありませんが、やはり講師や他の顧問の目から見て新鮮な作品を上演するということはとても大きな鍵でした。特に当時の北多摩の場合のようにオリジナル作品が出てくる地域ではそうです。私は、他の人がすでに都大会で上演した作品ではほとんど勝負にならないと感じていました。

　例えば、斉藤俊雄さんは今、最も多く上演されていると言ってもいい中学校演劇の作者ですが、都大会で上演されたのはこの一九九六年と一九九七年の『夏休み』『ＬＯＶＥ』の上演が最初でした。

　『オアシス物語』は、都立江北高校の全国大会優秀作品ですが、これは国立劇場で上演されたのを見て、生徒が「これをやりたい」と言ったものです。顧問の先生に電話で聞くと、「生徒が大切にしている劇だから生徒の承認が出るかどうか……」と言わ

『夏休み』1996年

『ＬＯＶＥ』1997年

『オアシス物語』1998年

写真はいずれも記録ビデオの画面から

『I was born』1999年

『《不思議の国のアリスの》帽子屋さんのお茶の会』2000年

れましたが、江北高校の部員たちは許可してくれただけでなく、文化祭での上演まで見に来てくれました。その後、都大会でも何回か上演されています。『I was born』は北海道の作品で、都大会の上演には作者の江口さんがはるばる飛行機で見に来てくださいました。この脚本は日本演劇教育連盟の脚本募集で入選しており、私は選考委員だったこともあって目に留めたものです。この二本の作品はともに当時まだ「全国大会」と名がつく前の中文連大会にも出場しました。現在、全国中学校総合文化祭のプログラムの冊子を見るたびに、過去の出場作品にこの二本の作品が載っているのを見て嬉しくなります。また、どちらも障害者や養護施設などに関係した劇で、劇づくりに当たっては、手話ができる方に来ていただいてみんなで習ったり、近くの福祉施設を見に行ったり、そういった意味でも勉強になる作品でした。

『《不思議の国のアリスの》帽子屋さんのお茶の会』は、全劇研で神奈川の山田容弘さんが上演したのを見て面白い作品だと思い、上演しました。

随分、脚本の話ばかり長くなってしまいました。演劇部の活動は脚本選びばかりではないので、そこまでこだわる必要がないのは言うまでもありません。でも、劇づくりだけに関して言えば、脚本選びはそれほど大切だし、脚本選びに失敗すれば大会で評価を得られないだけでなく、取り組んでいてもその劇の世界を描くのが難しくて出口のない努力を強いられたり、そもそも何を伝えたいのか分からなくなったりすることもあります。私の場合、良い脚本を探してそれを丁寧な演出で上演することにより評価を得てきました。

都大会の客席で

私の劇づくりは、中学校の劇としては割合と舞台装置に重きを置く方です。なぜか？　それは、中学校の演劇部顧問は、演技の指導から舞台装置、音響、照明まで全部指導することになりますが、オールマイティーでないとなると、どうしても得意なものは演技指導になりがちなのだと思います。私の場合、舞台装置から始めた顧問なので、当然舞台装置重視の傾向はありますが、このころになるとそれなりに演技指導にも日常活動にも自信がついて、バランスの取れた活動になってきていました。

とはいえ、この学校での後半、演劇部全体のまとまりがイマイチだったり、私と部員との関係ももう一つ近くなっていなかったのはなぜなのか？　いろんな要因がうまくかみ合わなかったのでしょう。都大会や地区大会で、毎年のように、思うような結果の出ない、苦い思いを味わいました。

うまくいかなかったときは、それぞれに反省があります。動作がうまく自由にできないので、無理に手の振りをつけて失敗したり、脚本を書き替えてみて結果的に失敗だったり……。そんな中で一つ、強烈な印象が残った上演があります。これは、何故失敗したか、ハッキリしていないのです。でも、舞台はやはり失敗でした。二〇〇三年度の『かくれんぼ』の都大会の舞台です。この劇は学校の中でかくれんぼをやる話なのでさまざまな部屋が出てきます。その部屋の違いは、可動式パネルの並べ方を瞬時に変えることで表し、我ながら実に小気味よい演出をしたものだと思いました。それが地区大会では見事に生きていたのです。

ところが都大会の当日、上演が始まって、客席でビデオを撮っていた私は思わず座席から立ち上がりました。劇がどこかおかしい！　生きてない！　何だか無味乾燥にセリフが響き、伝わってこない！　しかし立ち上がってはみたものの、どうして良いか分からず、また座るしかありませんでした。終わったとき、地区大会で絶賛してくださった講師から、「生徒たち疲れてる？」と、不思議そうに言われました。

原因はおそらく緊張です。そのためにテンポは速くなり、間はなくなり、交流が成り立たない上演になったのだと思います。だから上演前にお互い気持ちを合わせておくことは大切です。少しでも自信を持って、受け身でなく攻撃的な気持ちで舞台に立てるように声を掛けることも工夫すべきで、上演の前にはできるだけそのための時間を取るようにしています。

9 子どもを育てる演劇部へ

――演劇部現役最後の十年間

2015年1＋2月号掲載

●現役最後の十年間

私の演劇部運営を三つに分けて語ってきましたが、今回は最後の十年間です。私が最初に都大会に出たときに出会い、演劇に関する永遠の師匠と思い続けてきた栗山宏先生は、その日の合評会で、「今年は教員最後の十年間を迎えて、これから十年間、十本の劇をていねいに作ろうと思っている」と語られていました。私もそんな気持ちで最後まで力を入れて劇を作った十年間だったと思います。

●初めて立ち上げた演劇部～銀座中の三年間～

ただし、十年間の最初の一年は、演劇部顧問になって初めて、劇づくりにほとんど関わらない一年間となりました。この年異動した先は東村山市立東村山第六中学校。何と杤本真弓さんという北多摩中学校演劇舞踊研究会の役員会の仲間が演劇部を運営している学校でした。たまたま前年の都大会でこの学校の『転校生はロボット』（照屋洋・作）が好評を得て、この夏には私も顧問として全中演研の舞台（全国中学校演劇教育研究会の夏の研究大会での上演）に関わることになりました。もちろんほんのお手伝いです。幸か不幸かこの学校はたった一年で異動。その先が中央区の銀座中学校でした。

銀座中学校は初めて出会った「演劇部のない学校」です。私はその年、早速演劇部を立ち上げました。部活紹介で生徒たちが部活紹介をする中、私は教師自ら「みなさん、演劇をやってみませんか」と呼びかけたところ、最初二人、それからだんだん増えて、夏休み前には九人になり、学校ごとの合同夏合宿にも参加することになりました。この体験はとても大きくて、このオリジナルの部員たちと私とのつながりは、かつてない、他の教師生活では得がたいものとなりました。一人ひとりは良く言えば個性豊か、集団としては放っておけば常に空中分解の危険性をはらんだ、爆弾のような集団でした。何かと言えばミーティングを開き、何とか集団を維持していく中で、一人ひとりにとっての演劇部の存在はかけがえのないものに育っていったのです。

作品としては、一年目は鹿児島の永田光明さんが書かれた『朗らかに〜今、知覧に生きる』（『中学生のドラマ』第10巻に掲載）を上演しました。中央区では区大会がないので、発表の機会を得るために品川の大会に場所を借りて、それを踏み台に「推薦奨励校」という形で都大会にも出場しました。都大会の時、とんでもない事件が起こりました。この劇の中心的なテーマとなっている「小犬を抱いた少年特攻兵」の写真のスライドがなかなか映らなかったのです。やっと映ったのは最後のほんの瞬間でした。私は大ショックを受けましたが、それにもかかわらずこの作品は高い評価を得て、関東中学校演劇コンクール（関東大会）の舞台も踏むことができました。

『知覧、朗らか生徒会』中央区立銀座中学校演劇部

次の年に作った劇はその続編です。この二本の作品に思い入れを持って取り組んだのは、たまたま私が鹿児島の大会に講師として行かせてもらい、作者の永田さんと交流を深めたり、太平洋戦争で特攻基地となった知覧を訪れたりしたことがありました。この二本の劇の上演に関してはかなり原作に手を入れ、一本目は題名も『知覧、朗らか生徒会』として上演させていただきましたが、そこは原作者の永田さんとの交流の上で行ったことでした。この二本のときの部員は、現在でも何かと交流があります。先日は私の還暦祝いをサプライズで開いてくれましたが、それだけ、この銀座中の部員たちとは深い心のつながりを持てたのだと思います。

銀座中三年目の劇は私の演劇部運営の中では二回目のオリジナル作品でした。題名がなかなか決まらず、最終的に『After School Story』と名づけましたが、大してまとまった作品ではありません。ただ、部員たちとともに劇を作っていく中で印象的だったシーンがいくつかあります。まず、オープニングは、二人の女子が歌に合わせてシルエットで踊る場面です。これは「リズミック・ムーヴメント」という、音楽で体を自由に動かす練習をしていて、あまりに美しい表現をするのを見て、それを劇に取り入れたものでした。そしてもう一つ印象的だったのは、その劇の上演が迫っているときに演劇部に入部した二年の男子部員が、劇に出たいというのです。上演の三〜四日前のことです。考えたのは、教室の場面で誰もいなくなる場面があったので、そこに登場させるという案です。「謎の男」という登場人物を設けて、ただ登場してきて舞台の中央まで来て、一言「誰もいない」とつぶやいてハケるのです。その一瞬の出番ですが、ウケるためにはやはりそれなりの演技になっていなければなりません。それは手取り足取りの指導でした。本番では大受けして笑いを取り、その生徒はすっかり演劇にはまったようです。

●巨大になった演劇部～石神井東中の六年間～

最後の勤務校、練馬区立石神井東中学校は何故か演劇部顧問が集まった不思議な学校でした。私が入ってくる前の年、学校には二人のベテラン顧問がいて、そのうちの一人は校長であるとともに東京都の演劇教育研究会長（深澤直樹さん）、でした。さらに私と一緒に前の私の勤務校である田無三中の演劇部顧問が異動してくるという、偶然では考えられない状況でした。

ともかく、私が異動してきた年、その前の年に立ち上げられていた演劇同好会は演劇部に昇格し、またしても私は演劇部にありつくことができました。そして最初の年は深澤校長の作品『イリュージョン２００９』（「銀河鉄道の夜」を舞台化したもの）で都大会に出場し、関東大会にも選ばれました。

次の年は、校長の影響で脚本を書くことを覚えた生徒の作品『夕輝～僕の生きていた証』（三好日生作、深澤直樹補作）で再び都大会の舞台を踏むことになりました。この年の夏休み、演劇部では単独、それも保護者主催の形で合宿を行いました。この合宿では「自由になる」ということをテーマにして、基礎練習による三日間を過ごしましたが、その時に生徒により持ち込まれた作品がこの『夕輝』でした。（この話は、7「合宿に行こう」で触れました）この年、合宿を行おうと思った大きなわけは、この年、新入生がなんと十五人も入部して、演劇部が三十名の大所帯となったことでした。三十名ともなると、日頃一人ひとりの部員との接触がどうしても希薄になります。練習場所も日常使っている視聴覚室では狭いので、三日間〝同じ釜の飯を食って〟区の施設の広い体育館を使って練習をさせたいと思ったのです。もちろん新入生が十五人も入部した理由は「芋ようかん」（17ページ参照）でした。

そんなわけで、一年目も二年目も演劇部では宿泊行事があって、公演での結果も良くて、いろいろなトラブルはあっても生徒とは信頼関係を保ちながら運営できました。また、五十も半ばを過ぎたこの頃の年になると、何だかんだ言っても生徒は長い年月を生きてきた先生を信頼するようになるものです。また、こちらも一つひとつに腹を立てたり悩んだりしながらも、子どものことが可愛く見えてきます。それは毎日のことだけに、部員との関係にはとても大きな影響があるのです。だから、今の私を見ている人は以前の私と生徒との関係を聞くと「信じられない」と言うし、かつての生徒との関係を知っている人は「前と変わった」と言います。人間としてはそう変わっていないでしょう。けれど、微妙なことが人間同士の関係には大きな違いになったりもします。

　三年目には夏に『夕輝』の公演が神奈川県立青少年センターでありました。神奈川の演劇講習会の教材上演としての公演で、都大会の中からオリジナル作品ということで選ばれました。これはホールの八百人分の客席が神奈川県の演劇部の生徒で満席になる中で上演できる、とてもやりがいのある舞台でした。公演も上手くいって、わざわざ見に来てくれた学校の若い先生がボロボロに泣いて感動してくれたのが印象的でした。

　そしてこの年、区の大会は『男でしょっ！』（二宮高志作）という、高校演劇の傑作を上演しました。メンバーも充実して、多くの出演者が必要なこの劇はぴったりの楽しい上演でしたが、区の連続出場に関する慣例もあり都大会出場はありませんでした。

『夕輝～僕の生きていた証』
練馬区立石神井東中学校演劇部　［撮影＝小山内徳夫］

●最後の三年間
～一期一会の三作品～

　次の年から、現役最後の三年間となります。その最後の三年間は本当に充実した劇づくりができた三年間でした。部員も多く、顧問としての私に信頼を置いてくれたので、劇づくりになるとみんなで集中して劇を作っていくことができました。また、それぞれの年に不思議と貴重な一期一会とも言える作品と出会ってきたのも大きな事でした。

　その三つの作品は、一年目の『もしイタ～もし高校野球の女子マネージャーが青森の「イタコ」を呼んだら』（畑澤聖悟作）、二年目の『空の村号』（篠原久美子作）、そして三年目の、先日区大会で上演した『上を向いて歩こう２０１３』（竹生東・室達志作）です。

　これらの三つの作品はどれも甲乙つけがたい素敵な作品だったと思っています。『もしイタ』は高校作品の言わばコピーですがあまりにも素敵な作品で、関東大会で念願の金賞（過去二回は銅賞だった）を得ることができた他、区・都・その他小学校公演などでも観客に計り知れないインパクトを与えました。『空の村号』の劇づくりは既に説明させていただきましたが（68ページ参照）、全国中学校総合文化祭沖縄大会出場に十分値する価値のある作品です。老人から小学生まで誰でも楽しみ、感動できる作品です。そして今回の作品、『上を向いて歩こう２０１３』は、現役最後の作品でしたが、上の大会云々を気にせず、肩の力を抜いて、でも丁寧につくるという、今までにない感覚を味わえる作品づくりとなりました。これについては次項で触れていきます。

10 手間も時間もかかるけど
——現役最後の劇づくり

演劇と教育 2015年3月号掲載

私の現役最後の年の作品『上を向いて歩こう２０１３』（竹生東・室達志作）の劇づくりについては、皆さんにお伝えしたいこと、書きたいことはいろいろあります。演技について、演劇の大会をどう捉え、地域としての演劇の発展を考えるか、等々。しかし、ここでは、舞台装置について少し細かく説明する中で、劇づくり全体に触れていければと思います。

●『上を向いて歩こう2013』という作品

今回、選んだこの作品は『最新中学校創作脚本集２０１４』（晩成書房）の最初に載っている作品です。この作品の作者の一人竹生東さん（室達志さんとの共作）が、一昨年の十月に亡くなったことを知っていた私は、この作品を一回読んだだけで「これは面白い上演ができそうだ」と思うと同時に、「竹生さんの追悼公演として上演したい」と思いました。また、演劇部の生徒たちはこのところ重いテーマを扱った作品が続いていただけに、そこから一変させてこの作品に飛びつくことは容易に予想できました。それは、この作品が現代の中学生から感じられる軽さを求める気持ちと同時に、純情なものに触れたときに感じる新鮮な感情にも浸ることができる、中学生の感覚を良く捉えて書かれた作品だからです。

●一幕一場での舞台装置作り

さて、この作品のあらすじです。舞台は札幌。ハルトという男の子は不器用でかっこよくない、何かと他の子どもからからかわれる少年です。ハルトは札幌から東京へ転校していくユキに深く恋しているのですが、ハルトの恋を知った友だちはそれだけで笑ってしまいます。しかし、その友だちも次第にハルトの真剣な気持ちにほだされて、ラブレターを書く手伝いをしたり初デートの指南をするようになります。ところが、その男子たちの会話の中で出たちょっとした女子への悪口が、ハルトが恋するユキのお別れカラオケパーティーの場に伝わることとなり、ちょっとした騒動になるのです。最後には、その女子たちも、男子も応援する中で、ハルトはユキに恋心を打ち明けることになります。

さて、舞台は公園の一部（または公園に向かう道）のベンチのあるところ。しかし、その一部分はカラオケボックスにも使われる場所で、一段高くなっています。もちろん、カラオケボックスはそのままカラオケボックスというわけではなく、カラオケボックスでないときには公園に向かう道の一部でなければいけません。

さらに、場面によっては舞台の一部を公園、一部をカラオケボックスと、同時に違う場としてセットしなければならないのです。そんな舞台をどう作ったら良いかというのが今回の課題でした。

『上を向いて歩こう2013』の舞台
公園の場面（上）と
カラオケボックスの
場面（左）

●舞台装置には手を抜かない

劇づくりは全てそうですが、舞台装置も手を抜くのは禁物です。手を抜いた作品はすぐ分かります。もちろん手を抜かないで作っても限界はあります。でも、その限界のある中で、どこが大切か、大切な部分に工夫を加えてお客さんに見せるのが劇の舞台作りの大切なところです。

また、いろいろな背景はありますが、今回のうちの演劇部の場合、都大会には出場しないという前提がありました。それだけに、「だから手を抜いて作る」というふうに部員に感じさせたくない、という気持ちがありました。装置についても思い切り工夫をし、演技についてもいつにもまして細かいところまで手を入れて作りました。

では、今回の舞台装置で「思い切り工夫」したのは何か、それは立木と、カラオケボックスの長椅子です。その二つがきちんと作れれば、あとはカラオケボックスの部分は平台で一段高くすればいいし、ベンチはホームセンターの「縁台」

を二台買って済ませました。

●立木をどう作るか

長い間の顧問生活で、たくさんの木や森の舞台装置を作ってきました。例えば100ページと101ページの舞台写真にも三つの木の舞台装置が写っています。しかし、それぞれの舞台でそれにふさわしい木は微妙に違うので、同じ木を使えるわけではなく、毎回工夫する必要があります。今回の木の場合は公園の木です。そして奥に広がっていく通路に生えている木なので、支えの木があるとそれらしくなることが一つ。もう一つは上の枝葉の部分まで作ろうとすると大きくなりすぎて、作るのにも難しいし、よほどうまく作らないと逆にウソっぽくなってしまいます。だから、人の身長程度のところまでの幹とその支柱をそれらしく作れば、立派な舞台装置になると考えました。その結果作ったのが写真のとおりの装置です。舞台に置けば本物の立木のように見えます。

作り方としては、まずベニヤ板（薄くて良い）を少し立木らしく直線でない線を書いて切り、それを丸い木に見せるため、新聞紙をくしゃくしゃにして丸めたものをあんこにして、これまたくしゃくしゃにした模造紙で巻きつけるように包んでベニヤの裏側に貼りつけます。くしゃくしゃにした模造紙には本当の立木をよく見てそっくりな色をネオカラーで作り、かなり水っぽくした状態で塗ります。そうすると、模造紙のしわが自然な状態で残り、色の濃淡もつくので、自然の木の凹凸感が出ました。

そうやって作った幹をベニヤの土台に立てるため、まず支柱を組んで麻紐（に見える紐）でしばり、それをベニヤに釘を打って立てて置いたものに、いかにも縛りつけたように紐をつけて、実際は釘で留めます。裏側から見た部分写真を見ていただくと実際にどんな風に作れば良

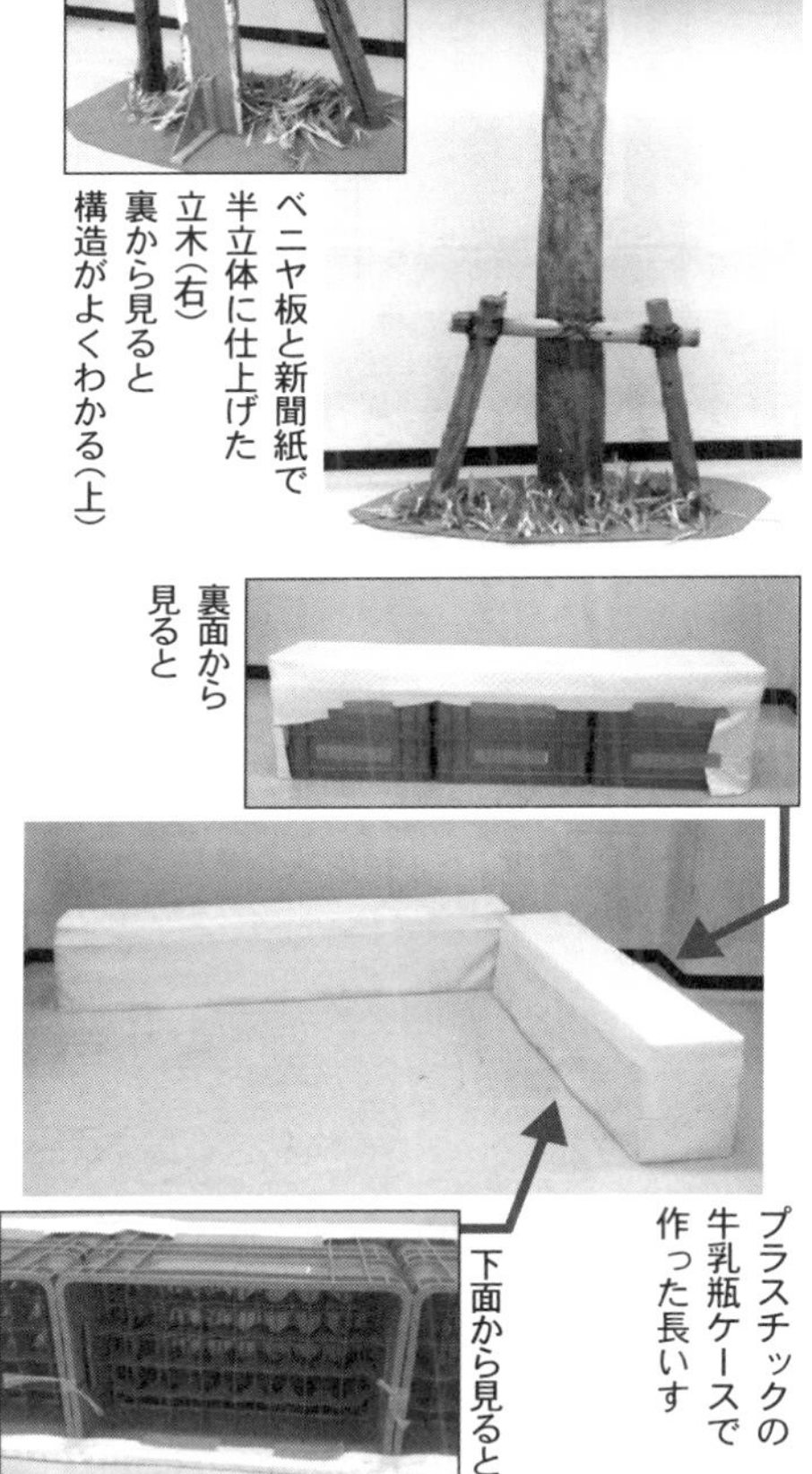

ベニヤ板と新聞紙で半立体に仕上げた立木（右）
裏から見ると構造がよくわかる（上）

裏面から見ると

プラスチックの牛乳瓶ケースで作った長いす

下面から見ると

いか分かりやすいでしょう。

●簡単に持ち運べる丈夫な長いす

実際に舞台を作るとなると難しいのが、公園の一部を一瞬でカラオケボックスに変えるところです。単純に舞台転換すれば良いと考えると、絶対に時間がかかりすぎて、それは舞台効果としてはマイナスです。だから、カラオケルームの最大八人が登場して座る椅子を、一瞬で運び込んだり、運び出したりします。問題は実際に人が安心して座れるそれだけの椅子をそんな簡単に作れるか？　作ったとしてもそんな簡単に運べるか？という問題です。それを木で作るとなると手間だって大変だし、頑丈にすれば重たくなり、軽くすれば安心して座れなくなってしまいます。ではどうするか？

そこで利用したのが、牛乳瓶を運ぶプラスチックのケースです。給食で使っているものを頼んで購入したところ、一ケース八百円で十四個買うことになったので値段はバカになりませんでしたが、そこは手軽に便利な道具を作るためには仕方ありません。二段に重ねたものを横に三個分、（もう一つは四個分）平テープで結んでつなげます。さらに細い角材を縛りつけて、ずれてガタガタしないようにしたり、高さ調節と座り心地のために発泡スチロールの板を載せたりして、キルトの布でカバーをつけてできあがりです（前ページ写真右下）。これも裏から見るとどんなものかよく分かると思います。

今回の牛乳瓶ケースは二段重ねているので多少重くなりましたが、とにかく簡単に丈夫な長いすを作るにはとても手のかからない方法です。全て平テープで結んでいるだけなのですから。

そんな形で、この劇の舞台はできあがりました。同時に公園とカラオケが出てくる場では、サスペンションライトで照らした公園と、ピンスポット（できるだけ広げて）を使って照らしたカラオケとで、別空間らしくすることもできました。

●都大会の代表権の問題

この作品は、区で演劇部が二年続けて都大会に選ばれた後の作品でした。練馬区の場合、歴史的に連続出場に対しては制約的な考えがあり、私もその考え方は必要だと思っていることから今回は最初から都大会への出場は無いものとして、だからといって手抜きはしない。逆にそれだからこそ生徒のためにも丁寧な劇づくりに努めたのでした。

私は道具づくりから演劇指導に入ったので、考えてみると現役最後の作品も道具のことばかりになってしまいました。けれど、この作品は部員たちもよく頑張って、この作品をやるならぜひこのメンバーで、と思える役者たちの演技となりました。ポイントの一つはモテない主人公のハルトとその相手役の男子二人ですが、ハルトには演技力のある女子を、相手役に男子を起用して、その掛け合いには会場が爆笑に包まれました。また、可憐なユキとその取り巻きの女子たちのア

『上を向いて歩こう２０１３』の舞台
カラオケボックスの場面（右側）と
公園の場面（左側）が同時進行する

ンサンブルもとても良いバランスで劇を盛り上げました。私も丁寧な演出に努めましたが、それだけで劇が出来るわけではありません。毎年充実した舞台を見せてくれた部員の生徒たちに感謝する気持ちを忘れてはいけないと思っています。

なんとか時間を作って…

さて、最後にもう一度、舞台装置の話に戻りますが、改めてここで皆さんにお伝えしておきたいのは、これらが全て、どこかに作り方が書いてあるものではなく、工夫と試行錯誤の結果できていくものだということです。前に作ったものを利用したり、応用して作ったりすることはあるでしょうが、一つの劇で満足のいく舞台装置を作ろうとすれば、必ず何か新しい工夫が必要になってくるものです。それをいかに面倒がらずに考え、材料を求めて街をさまよい、思ったものに近い材料を探し、考えて、試行錯誤を繰り返しながら作っていくかです。

現代を生きる人間にとって、時間は貴重です。まして、演劇部の顧問である教員は、本務が授業や分掌でそれにたっぷり時間を縛られるだけに、「忙しくて演劇部の指導に関わる暇がなかった」というのは簡単です。でもそれではよい劇づくりはできません。演劇部の指導というものは根本的に時間がかかるものです。今回話した舞台装置だけでなく、演技についても同じです。生徒と一緒に時間を過ごす楽しさと、新しいものを創り出す喜びを糧にして、学校での演劇をさまざまな大人たちが今後も支えていけたらと願いつつ、本書の筆を置きます。

■著者プロフィール■

田代　卓（たしろ・たかし）

1954年生まれ。

1979年、早稲田大学政治経済学部卒業。

1979年～2015年、公立中学校社会科教員。

2015年より、公立中学校非常勤教員・時間講師。

現在は——

一般社団法人日本演劇教育連盟理事

東京都中学校演劇教育研究会研究部参与

「劇団サム」主宰

練馬区立石神井東中学校演劇部・外部指導員

練馬区立北町中学校時間講師

もしエン
—もし初めて演劇部の顧問になったら

二〇二〇年一月一〇日　第一刷印刷
二〇二〇年一月二〇日　第一刷発行

著　者　田代　卓
発行者　水野　久
発行所　株式会社　晩成書房
●101-0064　東京都千代田区神田猿楽町二－一－一六
●電　話　〇三－三二九三－八三四八
●ＦＡＸ　〇三－三二九三－八三四九
印刷・製本　株式会社　ミツワ

乱丁・落丁はお取り替えします
ISBN978-4-89380-495-2 C0037
Printed in Japan